Le
Livre
de
Poche
Jeunesse

LES DENTS DE LA NUIT

LES DENTS DE LA NUIT

PETITE ANTHOLOGIE VAMPIRIQUE

Nouvelles réunies et présentées
par Sarah Cohen-Scali

INTRODUCTION

« Vous ne buvez pas ?

— Je ne bois pas... de vin. »

Une réplique anodine en apparence, or elle est extraite de *Dracula*. Elle constituerait presque, à elle seule, une nouvelle sur le thème du vampirisme et pourrait figurer à ce titre dans cette anthologie.

Dracula. Les présentations sont inutiles. Tout le monde connaît ce nom, tout le monde sait qu'il s'agit d'un vampire, *du* vampire par excellence. Moins connue en revanche est l'identité de son créateur, Bram Stoker. Tel est le privilège de certains héros romanesques lorsqu'ils accèdent à la célébrité : ils éclipsent – on pourrait même dire qu'ils "tuent" – l'auteur qui les a fait naître sous sa plume. Dracula a en quelque sorte commis son "premier meurtre" sur la personne de Bram Stoker, s'offrant ainsi l'immortalité.

Une précision, cependant : Bram Stoker s'est inspiré d'un homme qui a réellement existé. Il s'agit du prince Vlad Tepes, dit "Dracula" ("petit dragon"), surnommé encore "L'Empaleur". Il fut gouverneur de la province roumaine de Transylvanie de 1448 à 1476 et dans la guerre qu'il mena contre les Turcs, sa cruauté fit de lui une légende. Il empalait ses victimes vivantes sur des pieux, ouvrait le ventre des femmes enceintes, aimait festoyer pendant l'agonie de ses prisonniers torturés... bref, il se livrait à toutes sortes d'atrocités.

Après lui, en 1611, la comtesse Erzébeth Bathory, originaire elle aussi de Transylvanie, entra dans la légende lorsqu'on découvrit qu'elle avait fait tuer des centaines de jeunes filles pour boire leur sang afin de conserver sa jeunesse.

Mais bien avant ces deux personnages, on trouve dans la mythologie grecque des créatures buveuses de sang : les "Striges". Démons femelles ailés, elles hantent les cimetières, s'en prennent aux nouveau-nés qu'elles enlèvent dans leurs serres crochues pour sucer leur sang. Dans les religions musulmane et juive, Lilith, la première femme d'Adam avant Ève, surnommée la "Mère obscure", est également redoutée pour son caractère vampirique : elle suce le sang des nourrissons et des jeunes enfants la veille de leur circoncision.

Enfin, le Moyen Âge fait état de nombreuses croyances sur les morts-vivants. Au XVIIᵉ siècle, ces croyances se propagent en Europe de l'Est, puis dans toute l'Europe au XVIIIᵉ siècle.

Lorsque *Dracula* est publié en 1897, le roman crée une sorte de révolution littéraire. Le vampire en tant que héros romanesque s'impose et va inspirer de nombreux autres écrivains. Pourtant la figure du vampire était déjà présente dans la littérature fantastique – les dates le prouvent – au même titre que le fantôme ou le diable. C'est sans aucun doute le cinéma, les nombreuses adaptations à l'écran de *Dracula* qui ont donné toute sa force à la figure moderne du vampire.

Pour que le lecteur puisse se faire une idée de l'évolution de ce thème au fil du temps, j'ai scindé cette anthologie en deux parties : "les classiques" et "les modernes".

Parmi "les classiques" figurent les nouvelles antérieures à 1897, celles de Théophile Gautier, Alexandre Dumas, Alexis Tolstoï et Guy de Maupassant. Sans révéler la trame de chacune des histoires, je me bornerai à préciser que le vampire y revêt une dimension romantique qui atténue sa cruauté – du moins aux yeux d'un lecteur actuel. Les vampires contemporains (ceux de Matheson, Bradbury et Ed Gorman), eux, font une incursion directe dans notre quotidien et génèrent par là même davantage de peur et d'angoisse. Le texte de Stephen King – auteur incontournable en matière de fantastique – en est une illustration parfaite. Il était malheureusement impossible de présenter sa nouvelle *Le Rapace nocturne* dans son intégralité, car elle a quasiment la longueur d'un roman, j'ai donc extrait la fin, terrible description d'un vampire pilote d'avion, cruel et sanguinaire à souhait.

Je précise également que, à l'exception de la nouvelle de Maupassant, les textes classiques ont été coupés dans le souci d'éviter des redondances qui auraient pu représenter un écueil pour un jeune lecteur.

Sarah COHEN-SCALI

LA MORTE AMOUREUSE

*

Théophile Gautier

Vous me demandez, frère, si j'ai aimé : oui.

C'est une histoire singulière et terrible, et, quoique j'aie soixante-six ans, j'ose à peine remuer la cendre de ce souvenir. J'ai été pendant plus de trois ans le jouet d'une illusion singulière et diabolique. Moi, pauvre prêtre de campagne, j'ai mené en rêve toutes les nuits une vie de damné. Le jour, j'étais un serviteur du Seigneur, chaste, occupé à la prière, la nuit, dès que j'avais fermé les yeux, je devenais un jeune seigneur, fin connaisseur en femmes, jouant aux dés, buvant et blasphémant. Et lorsqu'au lever de l'aube je me réveillais, il me semblait au contraire que je m'endormais et que je rêvais que j'étais prêtre.

Oui, j'ai aimé comme personne au monde n'a aimé, d'un amour insensé et furieux, si violent que je suis étonné qu'il n'ait pas fait éclater mon cœur. Ah ! Quelles nuits ! Quelles nuits !

Dès ma plus tendre enfance, je m'étais senti la vocation pour l'état de prêtre. Je n'avais jamais été dans le monde ; le monde, c'était pour moi l'enclos du collège et du séminaire. Je savais vaguement qu'il y avait quelque chose que l'on appelait femme, mais je n'y arrêtais pas ma pensée ; j'étais d'une innocence parfaite. Je ne voyais ma mère vieille et infirme que deux fois l'an. C'étaient là toutes mes relations avec le dehors.

Le jour de mon ordination, je ne regrettais rien, je n'éprouvais pas la moindre hésitation devant l'engagement irrévocable, j'étais plein de joie et d'impatience, et je marchai à l'église d'un pas si léger qu'il me semblait être soutenu en l'air et avoir des ailes aux épaules.

Pendant la cérémonie, je levai par hasard ma tête, que jusque-là j'avais tenue inclinée, et j'aperçus devant moi, si près que j'aurais pu la toucher, quoique en réalité elle fût à une assez grande distance et de l'autre côté de la balustrade, une jeune femme d'une beauté rare et vêtue avec une magnificence royale. Ce fut comme si des écailles me tombaient des prunelles. J'éprouvai la sensation d'un aveugle qui recouvrerait subitement la vue. L'évêque, si rayonnant tout à l'heure, s'éteignit tout à coup, les cierges pâlirent sur leurs chandeliers d'or comme les étoiles au matin, et il se fit par toute l'église une complète obscurité.

Je baissai la paupière, bien résolu à ne plus la relever, pour me soustraire à l'influence des objets extérieurs ; car la distraction m'envahissait de plus en plus et je savais à peine ce que je faisais. Une minute après, je rouvris les yeux. Comme elle était belle ! Elle était assez grande, avec une taille et un port de déesse ; ses cheveux, d'un blond doux, se séparaient sur le haut de sa tête et se coulaient comme deux fleuves d'or ; on aurait dit une reine avec son diadème ; son front, d'une blancheur bleuâtre et transparente s'étendait large et serein sur l'arc de deux cils presque bruns, singularité qui ajoutait encore à l'effet de prunelles vert de mer d'une vivacité et d'un éclat insoutenables. Quels yeux ! Ils avaient une vie, une limpidité, une ardeur, une humidité brillante que je n'ai jamais vues à un œil humain.

Cette femme était un ange ou un démon, et peut-être tous les deux. Tous ces détails me sont encore aussi présents que s'ils dataient d'hier, et malgré un trouble extrême, rien ne m'échappait : la plus légère nuance, le plus petit point noir au coin du menton, l'imperceptible duvet aux commissures des lèvres, le velouté du front, l'ombre tremblante des cils sur les joues, je saisissais tout avec une lucidité étonnante. À mesure que je la regardais, je sentais s'ouvrir en moi des portes qui jusqu'alors avaient été fermées.

Une angoisse effroyable me tenaillait le cœur, la cérémonie avançait. Je dis oui cependant que je voulais dire non, lorsque tout en moi se révoltait et protestait ; une force occulte m'arrachait malgré moi les mots du gosier. Je fis un effort pour m'écrier que je ne voulais pas être prêtre, mais je ne pus en venir à bout, ma langue resta clouée à mon palais, et il me fut impossible de traduire ma volonté par le plus léger mouvement négatif. J'étais, tout éveillé, dans un état pareil à celui du cauchemar, où l'on veut crier un mot dont votre vie dépend, sans en pouvoir venir à bout.

Elle parut sensible au martyre que j'éprouvais, et comme pour m'encourager, elle me lança une œillade pleine de divines promesses. Elle me disait :

« Si tu veux être à moi, je te ferai plus heureux que Dieu lui-même dans son paradis ; les anges te jalouseront. Déchire ce funèbre linceul où tu vas t'envelopper ; je suis la beauté, je suis la jeunesse, je suis la vie ; viens à moi, nous serons l'amour. »

Mais c'en était fait, j'étais prêtre.

Jamais physionomie humaine ne peignit une angoisse aussi poignante. Le sang abandonna complètement sa charmante figure et elle devint d'une blancheur de marbre ; ses beaux bras tombèrent le long de son corps comme si les muscles en avaient été dénoués et elle s'appuya contre un pilier car ses jambes fléchissaient et se dérobaient sous elle.

Comme j'allais franchir le seuil de l'église, une main s'empara brusquement de la mienne, une main de femme ! Je n'en avais jamais touché. Elle était froide comme la peau d'un serpent, et l'empreinte m'en resta brûlante comme la marque d'un fer rouge. C'était elle. « Malheureux ! Malheureux, qu'as-tu fait ? » me dit-elle à voix basse, puis elle disparut dans la foule.

Le vieil évêque passa, il me regarda d'un air sévère. Je faisais la plus étrange contenance du monde, je pâlissais, je rougissais, j'avais des éblouissements. Un de mes camarades eut pitié de moi, il me prit et m'emmena ; j'aurais été incapable de retrouver tout seul le chemin du séminaire. Au détour d'une rue, pendant que le jeune prêtre tournait la tête d'un autre côté, un page nègre, bizarrement vêtu, s'approcha de moi et me remit un petit portefeuille à coins d'or ciselés en me faisant signe de le cacher. Je le fis glisser dans ma manche et l'y tins jusqu'à ce que je fusse seul dans ma cellule. Je fis sauter le fermoir, il n'y avait que deux feuilles avec ces mots : « Clarimonde, au palais Concini. » J'étais alors si peu au courant des choses de la vie, que je ne connaissais pas Clarimonde, malgré sa célébrité, et que j'ignorais complètement où était situé le palais Concini.

Cet amour né subitement s'était enraciné, je ne songeai même pas à essayer de l'arracher. Cette femme s'était complètement emparée de moi, un seul regard avait suffi pour me changer, elle m'avait soufflé sa volonté, je ne vivais plus dans moi, mais dans elle et par elle. Je me redisais ces mots qu'elle m'avait dits sous le portail de l'église : « Malheureux ! Malheureux ! Qu'as-tu fait ? » Je comprenais toute l'horreur de ma situation. Être prêtre, c'est-à-dire chaste, ne pas aimer, ne distinguer ni le sexe ni l'âge, se détourner de toute beauté, se crever les yeux, ramper sous l'ombre glaciale d'un cloître ou d'une église, ne voir que les mourants, veiller auprès de cadavres inconnus et porter soi-même son deuil sous sa soutane noire,

15

de sorte que l'on peut faire de votre habit un drap pour votre cercueil !

Et je sentais la vie monter en moi comme un lac intérieur qui s'enfle et qui déborde, mon sang battait avec force dans mes artères, ma jeunesse, si longtemps comprimée, éclatait tout à coup comme l'aloès qui met cent ans à fleurir et éclôt avec un coup de tonnerre.

Comment faire pour revoir Clarimonde ? Je n'avais aucun prétexte pour sortir du séminaire, ne connaissant personne dans la ville. J'essayai de desceller les barreaux de la fenêtre, mais elle était à une hauteur effrayante, et n'ayant pas d'échelle il n'y fallait pas penser. Et d'ailleurs, je ne pouvais descendre que de nuit. Et comment me serais-je conduit dans l'inextricable dédale des rues ? Toutes ces difficultés étaient immenses pour moi, pauvre séminariste, sans expérience, sans argent et sans habits.

Ah ! Si je n'avais pas été prêtre, j'aurais pu la voir tous les jours, j'aurais été son amant, son époux. Au lieu d'être enveloppé dans mon triste suaire, j'aurais des habits de soie et de velours, des chaînes d'or, une épée comme les beaux jeunes cavaliers. Mes cheveux, au lieu d'être déshonorés par une large tonsure, se joueraient autour de mon cou en boucles ondoyantes. Mais j'avais scellé moi-même la pierre de mon tombeau, j'avais poussé de ma main le verrou de ma prison.

Je me jetai sur mon lit avec une haine et une jalousie effroyables dans le cœur, mordant mes doigts et ma couverture comme un tigre à jeun depuis trois jours.

Je ne sais combien de temps je restai ainsi, mais en me retournant dans un mouvement de spasme furieux, j'aperçus l'abbé Sérapion qui se tenait debout au milieu de ma chambre. J'eus honte de moi-même et je voilai mes yeux avec mes mains.

— Romuald, mon ami, il se passe quelque chose d'extraordinaire, me dit Sérapion au bout de quelques minutes de silence. Votre conduite est vraiment inexplicable ! Vous, si pieux, si calme et si doux, vous vous agitez dans votre cellule comme une bête fauve. Prenez garde, mon frère ! Et n'écoutez pas les suggestions du diable, l'esprit malin rôde autour de vous comme un loup. Priez, jeûnez, méditez et le mauvais esprit se retirera.

Ses paroles m'aidèrent à redevenir plus calme.

— Je venais vous annoncer votre nomination à la cure de C. Le prêtre qui la possédait vient de mourir. Soyez prêt pour demain.

Je répondis d'un signe de tête que je le serais et l'abbé se retira.

Le lendemain il vint me prendre. Deux mules nous attendaient à la porte, chargées de nos maigres valises. Il monta l'une et moi l'autre, tant bien que mal. Tout en parcourant les rues de la ville, je regardais à toutes les fenêtres si je ne verrais pas Clarimonde, mais il était trop tôt et la ville n'avait pas encore ouvert les yeux. Mon regard tâchait de plonger à travers les

17

stores et à travers les rideaux de tous les palais devant lesquels nous passions. Nous arrivâmes à la porte de la ville et commençâmes à gravir la colline. Quand je fus tout en haut, je me retournai une dernière fois. L'ombre d'un nuage couvrait entièrement la ville, ses toits bleus et rouges étaient confondus dans une demi-teinte générale où surnageaient çà et là, comme de blancs flocons d'écume, les fumées du matin. Par un singulier effet d'optique se dessinait, blond et doré sous un rayon unique de lumière, un édifice qui surpassait en hauteur les constructions voisines. Il paraissait tout proche, on en distinguait les moindres détails, les girouettes, les plates-formes, les croisées.

— Quel est donc ce palais que je vois tout là-bas éclairé d'un rayon de soleil ? demandai-je à Sérapion.

Il mit sa main au-dessus de ses yeux et, ayant regardé, il me répondit :

— C'est l'ancien palais que le prince Concini a donné à la courtisane Clarimonde. Il s'y passe d'épouvantables choses.

Au bout de trois journées de route par des campagnes assez tristes, nous vîmes poindre le clocher de l'église que je devais desservir. À gauche, se trouvait le cimetière tout plein de hautes herbes, avec une grande croix de fer au milieu, à droite et dans l'ombre de l'église, le presbytère. La maison était d'une simplicité extrême et d'une propreté aride. Nous entrâmes. Quelques poules picotaient sur la terre de rares grains d'avoine. Un aboi enraillé et enroué se fit entendre et nous vîmes accourir un vieux chien.

18

C'était le chien de mon prédécesseur. Il avait l'œil terne, le poil gris et tous les symptômes de la plus haute vieillesse. Je le flattai doucement de la main, et il se mit aussitôt à marcher à côté de moi avec un air de satisfaction inexprimable. Une femme assez âgée, et qui avait été la gouvernante de l'ancien curé, vint aussi à notre rencontre et, après m'avoir fait entrer dans une salle basse, me demanda si mon intention était de la garder. Je lui répondis que je la garderais, elle et le chien, et aussi les poules et tout le mobilier.

Mon installation faite, l'abbé Sérapion retourna au séminaire. La pensée de Clarimonde recommença à m'obséder. Un soir, en me promenant dans les allées de buis de mon petit jardin, il me sembla voir à travers la charmille une forme de femme qui suivait tous mes mouvements et entre les feuilles étinceler les deux prunelles vert de mer ; mais ce n'était qu'une illusion. Ayant passé de l'autre côté de l'allée, je n'y trouvai rien qu'une trace de pied sur le sable, si petit qu'on eût dit un pied d'enfant.

Je vécus ainsi un an, remplissant avec exactitude tous les devoirs de mon état. Une nuit, l'on sonna violemment à ma porte. La vieille gouvernante vint ouvrir et un homme au teint cuivré et richement vêtu, mais selon une mode étrangère, se dessina sous les rayons de la lanterne de Barbara. Son premier mouvement fut la frayeur, mais l'homme la rassura et lui dit qu'il avait besoin de me voir sur-le-champ pour quelque chose qui concernait mon ministère. Barbara le fit monter. J'allais me mettre au lit. Il me dit que sa maîtresse, une très grande dame, était à l'article de la mort et désirait un prêtre. Je le suivis.

À la porte piaffaient d'impatience deux chevaux noirs comme la nuit, et soufflant sur leur poitrail deux longs flots de fumée. L'homme me tint l'étrier et m'aida à monter sur l'un, puis il sauta sur l'autre en appuyant seulement une main sur le pommeau de la selle. Il serra les genoux et lâcha les guides à son cheval qui partit comme la flèche. Le mien, dont il tenait la bride, prit aussi le galop et se maintint dans une égalité parfaite. Nous dévorions le chemin. La terre filait sous nous, grise et rayée, et les silhouettes noires des arbres s'enfuyaient comme une armée en déroute. Nous traversâmes une forêt d'un sombre si opaque et si glacial, que je me sentis courir sous la peau un frisson de superstitieuse terreur. Les aigrettes d'étincelles que les fers de nos chevaux arrachaient aux cailloux laissaient sur notre passage comme une traînée de feu, et si quelqu'un, à cette heure de la nuit, nous avait vus, mon conducteur et moi, il nous aurait pris pour deux spectres à cheval sur le cauchemar. La crinière des chevaux s'échevelait de plus en plus, la sueur ruisselait sur leurs flancs, et leur haleine sortait bruyante et pressée de leurs narines. Quand il les voyait faiblir, l'écuyer pour les ranimer poussait un cri guttural qui n'avait rien d'humain et la course recommençait avec furie.

Enfin le tourbillon s'arrêta, une masse noire piquée de quelques points brillants se dressa subitement devant nous, les pas de nos montures sonnèrent plus bruyants sur un plancher ferré et nous entrâmes sous une voûte qui ouvrait sa gueule sombre en deux énormes tours. Une grande agitation régnait dans le château.

— Trop tard ! Trop tard, fit un page nègre (le même que celui qui m'avait donné les tablettes de Clarimonde). Mais si vous n'avez pu sauver l'âme, venez veiller le pauvre corps.

Il me prit par le bras et me conduisit à la salle funèbre. Je pleurais aussi fort que lui, car j'avais compris que la morte n'était autre que Clarimonde.

Je m'agenouillai sans oser lever les yeux vers le lit et me mis à réciter les psaumes avec une grande ferveur, mais peu à peu mon élan se ralentit et je tombai en rêverie. Cette chambre n'avait rien d'une chambre de mort. Au lieu de l'air fétide et cadavéreux que j'étais accoutumé à respirer en ces veilles funèbres, une langoureuse fumée d'essences orientales, je ne sais quelle amoureuse odeur de femme, nageait doucement dans l'air attiédi. Cette pâle lueur avait plutôt l'air d'un demi-jour ménagé pour la volupté que de la veilleuse au reflet jaune qui tremblote près des cadavres. Un soupir de regret s'échappa de ma poitrine. Il me sembla qu'on avait soupiré aussi derrière moi et je me retournai. C'était l'écho. Dans ce mouvement mes yeux tombèrent sur le lit. Les rideaux de damas rouge à grandes fleurs, relevés par des torsades d'or, laissaient voir la morte couchée tout de son long

21

et les mains jointes sur la poitrine. Elle était couverte d'un voile de lin d'une blancheur éblouissante, que le pourpre sombre de la tenture faisait encore mieux ressortir. On eût dit une statue d'albâtre ou encore une jeune fille endormie sur qui il aurait neigé.

Je ne pouvais plus y tenir. Cet air d'alcôve m'enivrait, cette fébrile senteur de rose à demi fanée me montait au cerveau, et je marchais à grands pas dans la chambre, m'arrêtant à chaque tour devant l'estrade pour considérer la gracieuse trépassée sous la transparence de son linceul. D'étranges pensées me traversaient l'esprit. Je me figurais qu'elle n'était point morte réellement, que ce n'était qu'une feinte qu'elle avait employée pour m'attirer dans son château. Un instant même je crus voir bouger son pied dans la blancheur des voiles et se déranger les plis droits du suaire. Ce repos ressemblait tant à un sommeil que l'on s'y serait trompé. J'oubliais que j'étais venu là pour un office funèbre et je m'imaginais que j'étais un jeune époux entrant dans la chambre de la fiancée qui cache sa figure par pudeur. Frissonnant de crainte et de plaisir, je me penchai vers elle et pris le coin du drap, je le soulevai lentement en retenant mon souffle de peur de l'éveiller. Mes artères palpitaient avec une telle force que je les sentais siffler dans mes tempes et mon front ruisselait de sueur comme si j'avais remué une dalle de marbre. C'était en effet la Clarimonde telle que je l'avais vue à l'église lors de mon ordination, elle était aussi charmante et la mort chez elle semblait une coquetterie de plus.

Plus je la regardais, moins je pouvais croire que la vie avait abandonné ce beau corps. Je ne sais si cela était une illusion ou un reflet de la lampe, mais on eût dit que le sang recommençait à circuler sous cette mate pâleur, cependant elle était toujours de la plus parfaite immobilité. Je touchai légèrement son bras. Il était froid, mais pas plus froid pourtant que sa main le jour qu'elle avait effleuré la mienne sous le portail de l'église.

La nuit s'avançait et, sentant approcher le moment de la séparation éternelle, je ne pus me refuser cette triste et suprême douceur de déposer un baiser sur les lèvres mortes. Un léger souffle se mêla à mon souffle et la bouche de Clarimonde répondit à la passion de la mienne. Ses yeux s'entrouvrirent et reprirent un peu d'éclat. Elle fit un soupir et, décroissant les bras, elle les passa derrière mon cou.

— Ah ! C'est toi, Romuald, dit-elle d'une voix languissante et douce comme les dernières vibrations d'une harpe. Que fais-tu donc ? Je t'ai attendu si longtemps que je suis morte. Mais maintenant, nous sommes fiancés, je pourrai te voir et aller chez toi. Adieu, Romuald, adieu ! Je t'aime. Je te rends la vie que tu as rappelée sur moi une minute avec ton baiser. À bientôt !

Sa tête retomba en arrière, mais elle m'entourait toujours de ses bras comme pour me retenir. Un tourbillon de vent furieux défonça la fenêtre et entra dans la chambre. La lampe s'éteignit et je tombai évanoui.

Quand je revins à moi, j'étais couché sur mon lit, dans la petite chambre du presbytère. J'ai su depuis que j'étais resté trois jours ainsi, ne donnant d'autre signe d'existence qu'une respiration presque insensible. Je ne sais où est allé mon esprit pendant tout ce temps, je n'en ai gardé aucun souvenir. Barbara m'a confié que l'homme au teint cuivré m'avait ramené le matin dans une litière et s'en était retourné aussitôt.

Un matin, je vis entrer l'abbé Sérapion. Sans préparation aucune, il me dit d'une voix claire et vibrante :

— La grande courtisane Clarimonde est morte dernièrement à la suite d'une orgie qui a duré huit jours et huit nuits. Dans quel siècle vivons-nous, bon Dieu ! Les convives étaient servis par des esclaves basanés parlant un langage inconnu, et qui m'ont tout l'air de vrais démons. Il a couru de tout temps sur cette Clarimonde de bien étranges histoires, et tous ses amants ont fini d'une manière misérable ou violente. On a dit que c'était une goule, un vampire, mais je crois que c'était Belzébuth en personne.

Il se tut et m'observa plus attentivement que jamais. Je n'avais pu me défendre d'un mouvement en entendant nommer Clarimonde.

— Mon fils, je dois vous avertir, dit-il en me jetant un coup d'œil inquiet et sévère, vous avez le pied levé sur un abîme, prenez garde d'y tomber. Satan a la griffe longue. La pierre de Clarimonde devrait être scellée d'un triple sceau, car ce n'est pas, à ce qu'on dit, la première fois qu'elle est morte. Que Dieu veille sur vous, Romuald !

Après avoir dit ces mots, Sérapion regagna la porte à pas lents et je ne le revis plus.

J'étais entièrement rétabli et j'avais repris mes fonctions habituelles. Aucun événement extraordinaire n'était venu confirmer les prévisions funèbres de Sérapion et je commençais à croire que ses craintes et mes terreurs étaient exagérées. Mais une nuit, je fis un rêve.

À peine endormi, j'entendis ouvrir les rideaux de mon lit et glisser les anneaux sur les tringles avec un bruit éclatant. Je me soulevai brusquement sur le coude et je vis une ombre de femme qui se tenait debout devant moi. Je reconnus sur-le-champ Clarimonde. Elle portait à la main une petite lampe de la forme de celle qu'on met dans les tombeaux. Elle avait pour tout vêtement le suaire de lin qui la recouvrait sur son lit de parade. Elle était si blanche que la couleur de la draperie se confondait avec celle des chairs sous le pâle rayon de la lampe. Enveloppée de ce fin tissu qui trahissait tous les contours de son corps, elle ressemblait à une statue de marbre de baigneuse antique plutôt qu'à une femme douée de vie. Morte ou vivante, statue ou femme, ombre ou corps, sa beauté était toujours la même. Elle posa la lampe sur la table et s'assit sur le pied de mon lit, puis elle me dit en se penchant vers moi avec cette voix argentée et veloutée à la fois que je n'ai connue qu'à elle :

— Je me suis bien fait attendre, mon cher Romuald, et tu as dû croire que je t'avais oublié. Mais je viens de bien loin, d'un endroit d'où personne n'est encore revenu. Il n'y a ni lune ni soleil au pays d'où j'arrive, ce n'est que de l'espace et de l'ombre. Ni chemin, ni sentier, point de terre pour le pied, point d'air pour l'aile. Et pourtant me voici car l'amour est plus fort que la mort. Ah ! Que d'efforts il m'a fallu avant de lever la dalle dont on m'avait couverte ! Tiens ! Le dedans de mes pauvres mains en est tout meurtri. Baise-les pour les guérir, cher amour !

Elle m'appliqua l'une après l'autre les paumes froides de ses mains sur ma bouche, je les baisai plusieurs fois et elle me regardait faire avec un sourire d'ineffable complaisance.

J'avais totalement oublié les avis de l'abbé Sérapion. J'étais tombé sans résistance et au premier assaut. La fraîcheur de la peau de Clarimonde pénétrait la mienne et je me sentais courir sur le corps de voluptueux frissons. Malgré tout ce que j'en ai vu, j'ai peine à croire encore que ce fût un démon. Elle avait ployé ses talons sous elle et se tenait accroupie au bord de la couchette dans une position pleine de coquetterie nonchalante. De temps en temps, elle passait sa petite main à travers mes cheveux et les roulait en boucles comme pour essayer à mon visage de nouvelles coiffures. Ses paroles étaient entrecoupées de caresses délicates qui étourdirent mes sens et ma raison.

— Tu viendras avec moi, tu me suivras où je voudrai. Tu laisseras tes vilains habits noirs, tu seras le plus fier et le plus envié des cavaliers, tu seras mon amant ! Quand partons-nous ?

— Demain !

— Demain, soit !

Elle effleura mon front du bout de ses lèvres. La lampe s'éteignit, les rideaux se refermèrent, et je ne vis plus rien. Un sommeil de plomb s'appesantit sur moi.

Le lendemain soir, mon rêve se continua. Les rideaux s'écartèrent et je vis Clarimonde, gaie, leste et pimpante, avec un superbe habit de voyage en velours vert orné de ganse d'or. Ses cheveux blonds s'échappaient en grosses boucles de dessous un large chapeau de feutre noir chargé de plumes blanches.

— Eh bien, beau dormeur, est-ce ainsi que vous faites vos préparatifs ? Levez-vous bien vite, nous n'avons pas de temps à perdre.

Je sautai à bas du lit.

— Allons, habillez-vous et partons, dit-elle en me montrant un petit paquet qu'elle avait apporté. Nous devrions déjà être à dix lieues d'ici.

Je m'habillai en hâte. Elle donna du tour à mes cheveux et quand ce fut fait, elle me tendit un petit miroir de poche en cristal. Je n'étais plus le même et je ne me reconnus pas. Je ne me ressemblais pas plus qu'une statue achevée ne ressemble à un bloc de pierre.

Elle me prit la main et m'entraîna. Toutes les portes s'ouvraient devant elle aussitôt qu'elle les touchait et nous passâmes devant le chien sans le réveiller.

Nos chevaux allaient aussi vite que le vent et la lune, qui s'était levée à notre départ pour nous éclairer, roulait dans le ciel comme une roue détachée de son char, nous la voyions à notre droite sauter d'arbre en arbre et s'essouffler pour courir après nous. Nous arrivâmes bientôt dans une plaine où nous attendait une voiture attelée de quatre vigoureuses bêtes. Nous y montâmes et les postillons nous firent prendre un galop insensé.

J'oubliais tout en ce moment et je ne me souvenais pas plus d'avoir été prêtre que de ce que j'avais fait dans le sein de ma mère. À dater de cette nuit, ma nature s'est en quelque sorte dédoublée, et il y eut en moi deux hommes, dont l'un ne connaissait pas l'autre. Tantôt je me croyais un prêtre qui rêvait chaque soir qu'il était un gentilhomme, tantôt un gentilhomme qui rêvait qu'il était prêtre. Je ne pouvais plus distinguer le songe de la veille, et je ne savais pas où commençait la réalité et où finissait l'illusion.

Toujours est-il que j'étais ou du moins que je croyais être à Venise. Nous habitions un grand palais de marbre sur le Canaleio. Je voyais la meilleure société du monde, des fils de famille ruinés, des femmes de théâtre, des escrocs, des parasites et des spadassins. Cependant, malgré la dissipation de cette vie, je restais fidèle à Clarimonde. Je l'aimais éperdument. Avoir Clarimonde, c'était avoir vingt maîtresses, c'était avoir toutes les femmes, tant elle était mobile, changeante et dissemblable d'elle-même, un vrai caméléon !

J'aurais été parfaitement heureux sans un maudit cauchemar qui revenait toutes les nuits, et où je me croyais un curé de village faisant pénitence de ses excès du jour.

Mais la santé de Clarimonde ne fut plus aussi bonne. Son teint s'amortissait de jour en jour. Les médecins qu'on fit venir n'entendaient rien à sa maladie. Elle pâlissait à vue d'œil et devenait de plus en plus froide. Elle était presque aussi blanche et aussi morte que la fameuse nuit dans le château inconnu. Je me désolais de la voir ainsi lentement dépérir.

Un matin, j'étais assis auprès de son lit et je déjeunais sur une petite table pour ne pas la quitter une minute. En coupant un fruit, je me fis au doigt une entaille assez profonde. Le sang partit aussitôt en filets pourpres, et quelques gouttes rejaillirent sur Clarimonde. Ses yeux s'éclairèrent, sa physionomie prit une expression de joie féroce et sauvage que je ne lui avais jamais vue. Elle sauta à bas du lit avec une agilité animale, une agilité de singe ou de chat, et se précipita sur ma blessure qu'elle se mit à sucer avec un air d'indicible volupté. Elle avalait le sang par petites gorgées, lentement et précieusement, comme un gourmet qui savoure un vin de Xérès. Elle clignait les yeux à demi, et la pupille de ses prunelles vertes était devenue oblongue au lieu de ronde. De temps à autre, elle s'interrompait pour me baiser la main, puis elle recommençait à presser de ses lèvres les lèvres de la plaie pour en faire sortir encore quelques gouttes rouges. Quand elle vit que le sang ne venait plus, elle se releva l'œil humide et brillant, plus rose qu'une aurore de mai, la figure pleine, la main tiède et moite, enfin plus belle que jamais et dans un parfait état de santé.

Cette scène me préoccupa longtemps, d'autant qu'un soir, je vis dans ma glace Clarimonde qui versait une poudre dans la coupe de vin épicé qu'elle avait l'habitude de préparer après le repas. Je pris la coupe, je feignis d'y porter mes lèvres et la posai sur un meuble comme pour l'achever plus tard et, profitant d'un instant où la belle avait le dos tourné, j'en jetai le contenu sous la table. Après quoi, je me retirai dans ma chambre et me couchai, bien déterminé à ne pas dormir.

Je n'attendis pas longtemps. Clarimonde entra en robe de nuit et s'allongea dans le lit auprès de moi. Quand elle se fut bien assurée que je dormais, elle découvrit mon bras et tira une épingle d'or de sa tête, puis elle se mit à murmurer à voix basse : « Une goutte, rien qu'une petite goutte rouge, un rubis au bout de mon aiguille ! Puisque tu m'aimes, il ne faut pas que je meure ! Dors ! Dors ! Je ne te ferai pas de mal, je ne prendrai de ta vie que ce qu'il faudra pour ne pas laisser éteindre la mienne. Si je ne t'aimais pas tant, je pourrais me résoudre à avoir d'autres amants dont je tarirais les veines. »

Elle me fit une petite piqûre avec son aiguille et se mit à pomper le sang qui en coulait. Quoiqu'elle en eût bu à peine quelques gouttes, la crainte de m'épuiser la prenant, elle m'entoura avec soin le bras d'une petite bandelette après avoir frotté la plaie d'un onguent qui la cicatrisa sur-le-champ.

Je ne pouvais plus avoir de doutes, l'abbé Sérapion avait raison, cependant je n'avais pas peur. La femme me répondait du vampire et ce que j'avais entendu et vu me rassurait complètement. J'avais des veines plantureuses qui ne se seraient pas de si tôt épuisées. Je me serais ouvert le bras moi-même pour elle. Mais mes scrupules de prêtre me tourmentaient plus que jamais.

Pour éviter de sombrer dans ces fatigantes hallucinations, j'essayais de m'empêcher de dormir, je tenais mes paupières ouvertes avec les doigts et je restais debout au long des murs, luttant contre le sommeil de toutes mes forces, mais le sable de l'assoupissement me roulait bientôt dans les yeux, je laissais tomber les bras de découragement et de lassitude.

Sérapion me reprochait durement ma mollesse et mon peu de ferveur. Un jour que j'avais été plus agité que d'ordinaire, il me dit :

— Pour vous débarrasser de cette obsession, il n'y a qu'un moyen, et, quoiqu'il soit extrême, il le faut employer : aux grands maux les grands remèdes. Je sais où Clarimonde a été enterrée ; il faut que nous la déterrions et que vous voyiez dans quel état pitoyable est l'objet de votre amour. Vous ne serez plus tenté de perdre votre âme pour un cadavre immonde dévoré des vers et près de tomber en poudre.

Pour moi, j'étais si fatigué de cette double vie que j'acceptai.

L'abbé se munit d'une pioche, d'un levier et d'une lanterne, et à minuit nous nous dirigeâmes vers le cimetière de ***, dont il connaissait parfaitement la disposition. Après avoir porté la lumière de la lanterne sourde sur les inscriptions de plusieurs tombeaux, nous arrivâmes enfin à une pierre à moitié cachée par les grandes herbes et dévorée de mousses et de plantes parasites.

— C'est bien ici, dit Sérapion.

Posant à terre sa lanterne, il glissa la pince dans l'interstice de la pierre et commença à la soulever. La pierre céda, et il se mit à l'ouvrage avec la pioche. Moi, je le regardais faire, plus noir et plus silencieux que la nuit elle-même. Quant à lui, courbé sur son œuvre funèbre, il ruisselait de sueur, il haletait, et son souffle pressé avait l'air du râle d'un agonisant. Je me sentais perler sur les membres une sueur glaciale, et mes cheveux se redressaient douloureusement sur ma tête. Je regardais au fond de moi-même l'action du sévère Sérapion comme un abominable sacrilège. Les hiboux perchés sur les cyprès, inquiétés par l'éclat de la lanterne, en venaient fouetter lourdement la vitre

avec leurs ailes poussiéreuses, en jetant des gémisse-
ments plaintifs. Les renards glapissaient dans le lointain et mille bruits sinistres se dégageaient du silence.
Enfin la pioche de Sérapion heurta le cercueil dont
les planches retentirent avec un bruit sourd et sonore,
avec ce terrible bruit que rend le néant quand on y
touche. Il en renversa le couvercle et j'aperçus Clarimonde pâle comme un marbre, les mains jointes.
Son blanc suaire ne faisait qu'un seul pli de la tête
aux pieds. Une petite goutte brillait comme une rose
au coin de sa bouche décolorée. Sérapion, à cette vue,
entra en fureur :

— Ah ! Te voilà, démon, courtisane impudique,
buveuse de sang et d'or !

Et il aspergea d'eau bénite le corps et le cercueil
sur lequel il traça la forme d'une croix avec son gou-
pillon. La pauvre Clarimonde n'eut pas été plus tôt
touchée par la sainte rosée que son beau corps tomba
en poussière. Ce ne fut plus qu'un mélange affreuse-
ment informe de cendres et d'os à demi calcinés.

— Voilà votre maîtresse, Romuald, dit l'inexorable
prêtre en me montrant ces tristes dépouilles. Serez-
vous encore tenté d'aller vous promener au Lido avec
votre beauté ?

Je baissai la tête, une grande ruine venait de se
faire au-dedans de moi. Je retournai à mon presbytère
et l'amant de Clarimonde se sépara du pauvre prêtre,
à qui il avait tenu pendant si longtemps une si étrange
compagnie.

Seulement, la nuit suivante, je revis Clarimonde. Elle me dit, comme la première fois sous le portail de l'église : « Malheureux, qu'as-tu fait ? Toute communication entre nos âmes et nos corps est rompue désormais. Adieu, tu me regretteras. » Elle se dissipa dans l'air comme une fumée, et je ne la revis plus.

Elle a dit vrai. Je l'ai regrettée plus d'une fois, et je la regrette encore.

Voilà l'histoire de ma jeunesse.

Ne regardez jamais une femme, et marchez toujours les yeux fixés en terre, car, si chaste et si calme que vous soyez, il suffit d'une minute pur vous faire perdre l'éternité.

1836
Version abrégée

LA DAME PÂLE

*

Alexandre Dumas

— Écoutez, dit la dame pâle avec une étrange solennité, puisque tout le monde ici a raconté une histoire, je veux en raconter une aussi. Docteur, vous allez savoir ce que la science n'a pas pu vous dire jusqu'à présent. Vous allez savoir pourquoi je suis si pâle.

En ce moment, un rayon de lune glissa par la fenêtre à travers les rideaux et, venant se jouer sur le canapé où elle était couchée, l'enveloppa d'une lumière bleuâtre qui semblait faire d'elle une statue de marbre noir couchée sur un tombeau.

— Je suis Polonaise, née à Sandomir, c'est-à-dire dans un pays où les légendes deviennent des articles de foi. Pas un de nos châteaux qui n'ait son spectre, pas une de nos chaumières qui n'ait son esprit familier. Ce sont des bruits si mystérieux dans les corridors, des rugissements si épouvantables dans les vieilles tours, des tremblements si effrayants dans les murailles, que l'on s'enfuit de la chaumière comme

35

du château, et que paysans ou gentilshommes courent à l'église chercher la croix bénie ou les saintes reliques, seuls préservatifs contre les démons qui nous tourmentent.

L'année 1825 vit se livrer entre la Russie et la Pologne une de ces luttes dans lesquelles on croirait que tout le sang d'un peuple est épuisé. Mon père et mes deux frères s'étaient levés contre le nouveau czar. L'un d'eux fut tué, l'autre blessé et, un jour, mon père revint avec une centaine de cavaliers, débris de trois mille hommes qu'il commandait. Il ordonna à son intendant de me conduire dans le monastère de Sahastru, situé au milieu des monts Carpathes.

Dix journées de marche se passèrent sans accident. Nous étions à la fin du mois de juillet, la journée avait été brûlante. Notre guide nous précédait, couché de côté sur son cheval, chantant une chanson morlaque aux modulations monotones. Tout à coup, la détonation d'une arme à feu se fit entendre, une balle siffla. La chanson s'interrompit, et le guide, frappé à mort, alla rouler au fond du précipice, tandis que son cheval s'arrêtait frémissant, en allongeant sa tête intelligente vers le fond de l'abîme où avait disparu son maître.

En même temps, un grand cri s'éleva, et nous vîmes se dresser au flanc de la montagne une trentaine de bandits. Nous étions complètement entourés. Chacun saisit son arme, et quoique pris à l'improviste, ceux qui m'accompagnaient étaient de vieux soldats habitués au feu, ils ne se laissèrent pas intimider et ripostèrent. Mais nous avions affaire à des montagnards, bondissant de rochers en rochers, comme de véritables démons des abîmes, faisant feu tout en bondissant, et gardant toujours sur notre flanc la position qu'ils avaient prise. Tous ces hommes, vêtus de peaux de moutons, portaient d'immenses chapeaux ronds couronnés de fleurs naturelles comme ceux des Hongrois. Ils avaient chacun à la main un long fusil turc, qu'ils agitaient après avoir tiré, en poussant des cris sauvages, et à la ceinture un sabre recourbé et une paire de pistolets.

Quant à leur chef, c'était un jeune homme de vingt-deux ans à peine, au teint pâle, aux longs yeux noirs, aux cheveux tombant bouclés sur ses épaules. Son costume se composait de la robe moldave garnie de fourrure et serrée à la taille par une écharpe à bandes d'or et de soie. Un sabre recourbé brillait à sa main, et quatre pistolets étincelaient à sa ceinture. Pendant le combat, il poussait des cris rauques et inarticulés qui semblaient ne point appartenir à la langue humaine. Ses hommes lui obéissaient, se jetant ventre à terre pour éviter les décharges de nos soldats, se relevant pour faire feu à leur tour, abattant ceux qui étaient encore debout, achevant les blessés, et changeant le combat en boucherie.

J'avais vu tomber l'un après l'autre les deux tiers de mes défenseurs. Quatre restaient encore debout, se serrant autour de moi, ne songeant qu'à une chose, vendre leur vie le plus cher possible.

Alors le jeune chef poussa un cri plus expressif que les autres, en étendant la pointe de son sabre vers nous. Sans doute cet ordre était de nous fusiller tous ensemble, car les longs mousquets moldaves s'abaissèrent d'un même mouvement. Je compris que notre dernière heure était venue. Je levai les yeux au ciel avec une dernière prière, et j'attendis la mort.

En ce moment je vis, non pas descendre, mais bondir de rocher en rocher, un jeune homme qui s'arrêta, debout, sur une pierre dominant toute cette scène, pareil à une statue sur un piédestal, et qui, étendant la main sur le champ de bataille, ne prononça que ce seul mot :

— Assez !

À cette voix, tous les yeux se levèrent, chacun parut obéir à ce nouveau maître. Un seul bandit replaça son fusil à l'épaule et lâcha le coup. Un de nos hommes poussa un cri : la balle lui avait cassé le bras gauche. Il se retourna aussitôt pour fondre sur l'homme qui l'avait blessé, mais avant que son cheval n'eût fait quatre pas, un éclair brilla au-dessus de notre tête, et le bandit rebelle roulait, la tête fracassée par une balle.

Je m'évanouis.

Quand je revins à moi, j'étais couchée sur l'herbe, la tête appuyée sur les genoux d'un homme dont je ne voyais que la main blanche et couverte de bagues, entourant ma taille, tandis que devant moi, debout, les bras croisés, le sabre sous un de ses bras, se tenait le jeune chef moldave qui avait dirigé l'attaque contre nous.

— Kostaki, disait en français et d'un ton d'autorité celui qui me soutenait, vous allez à l'instant même faire retirer vos hommes et me laisser le soin de cette jeune femme.

— Mon frère, répondit celui auquel les paroles étaient adressées et qui semblait se contenir avec peine, prenez garde de lasser ma patience, je vous laisse le château, laissez-moi la forêt. Au château, vous êtes le maître, mais ici je suis tout-puissant. Ici, il me suffirait d'un mot pour vous forcer de m'obéir.

— Kostaki, je suis l'aîné, c'est vous dire que je suis le maître partout, dans la forêt comme au château. Je suis du sang des Brancovan comme vous, sang royal qui a l'habitude de commander, et je commande.

— Vous commandez, vous, Grégoriska, à vos valets, oui, à mes soldats, non.

— Vos soldats sont des brigands, Kostaki... des brigands que je ferai pendre s'ils ne m'obéissent pas.

Je sentis que celui qui me soutenait retirait son genou et posait doucement ma tête sur une pierre. Je le suivis du regard avec anxiété et je pus voir le même jeune homme qui était tombé, pour ainsi dire, du ciel au milieu de la mêlée.

C'était un jeune homme de vingt-quatre ans, de haute taille, avec de grands yeux bleus dans lesquels on lisait une résolution et une fermeté singulières. Ses longs cheveux blonds, indices de la race slave, tombaient sur ses épaules, encadrant des joues jeunes et fraîches. Ses lèvres étaient relevées par un sourire dédaigneux et laissaient voir une double rangée de perles. Il étai vêtu d'une espèce de tunique en velours noir, d'un pantalon collant et de bottes brodées. Sa taille était serrée par un ceinturon supportant un couteau de chasse et il portait en bandoulière une carabine à deux coups.

Il étendit la main et les bandits s'inclinèrent.

— Eh bien soit, Grégoriska, dit Kostaki. Cette femme n'ira pas à la caverne, mais elle n'en sera pas moins à moi. Je la trouve belle, je l'ai conquise et je la veux.

Et en disant ces mots, il se jeta sur moi et m'enleva dans ses bras.

— Cette femme sera conduite au château et remise à ma mère, et je ne la quitterai pas d'ici là, répondit mon protecteur.

— Mon cheval ! cria Kostaki en langue moldave. Dix bandits se hâtèrent d'obéir et menèrent à leur maître le cheval qu'il demandait. Grégoriska regarda autour de lui, saisit par la bride un cheval sans maître et sauta dessus sans toucher les étriers. Kostaki se mit presque aussi légèrement en selle que son frère, quoiqu'il me tînt encore dans ses bras et partit au galop.

Le cheval de Grégoriska vint coller sa tête et son flanc à ceux du cheval de Kostaki.

C'était une chose curieuse à voir que ces deux cavaliers, volant côte à côte, sombres, silencieux, ne se perdant pas un seul instant de vue, sans avoir l'air de se regarder. Ma tête renversée me permettait de voir les beaux yeux de Grégoriska fixés sur les miens. Kostaki s'en aperçut, me releva la tête et je ne vis plus que son regard sombre qui me dévorait.

Je ne vis plus ensuite que la cour intérieure d'un château moldave, bâti au XIVe siècle.

Ma chambre était une grande pièce carrée, avec une espèce de divan de serge verte : siège le jour, lit la nuit. Cinq ou six grands fauteuils de chêne, un vaste bahut, et dans un des angles de la pièce, un dais. De rideaux aux fenêtres, de rideaux au lit, il n'en était pas question. On fit monter mes malles. J'entendis frapper doucement à ma porte.

— Entrez, dis-je en français. (Le français est pour nous, Polonais, une langue presque maternelle.)

Grégoriska entra.

— Ah ! Madame, je suis heureux que vous parliez français.

— Et moi aussi, monsieur, c'est dans cette langue que vous m'avez défendue contre les desseins de votre frère, et je vous en suis reconnaissante.

— Merci, madame. Je suis arrivé à temps, grâce au ciel. Par quel hasard une femme de votre distinction s'est-elle aventurée dans nos montagnes ?

— Je suis Polonaise, monsieur, lui dis-je, mes deux frères viennent d'être tués dans la guerre contre la Russie, mon père, que j'ai laissé prêt à défendre notre château contre l'ennemi, les a sans doute rejoints à cette heure et sur son ordre, je venais chercher refuge au monastère de Sahastru.

— Vous êtes l'ennemie des Russes, tant mieux ! dit le jeune homme. Sachez maintenant, madame, qui nous sommes. Ma mère est la dernière princesse du nom de Brancovan. Elle épousa mon père en pre-mières noces. Pendant les voyages de mon père, alors que j'étais enfant, ma mère eut des relations cou-pables avec un chef de partisans, le comte Koproli, moitié Grec, moitié Moldave. Elle voulut divorcer mais mon père mourut auparavant d'un anévrisme. Je voyageai en Europe, puis j'appris que le comte Koproli venait d'être assassiné. Je me hâtai de revenir pour ne pas laisser ma mère dans l'isolement. Sans qu'elle eût jamais eu pour moi un amour bien tendre, j'étais son fils. En entrant au château, je trouvai un jeune homme que je pris d'abord pour un étranger, et que je sus ensuite être mon frère. C'était Kostaki, le fils de l'adultère qu'un second mariage avait légi-timé, Kostaki, la créature indomptable que vous avez vue, dont les passions sont la seule loi, qui n'a rien de sacré en ce monde que sa mère, qui m'obéit comme le tigre obéit au bras qui l'a dompté, mais avec un éternel rugissement entretenu par le vague espoir de me dévorer un jour. Dans l'intérieur du château, dans la demeure des Brancovan, je suis encore le maître, mais une fois hors de cette enceinte, une fois en pleine campagne, il redevient le sauvage enfant des bois et des monts, qui veut tout faire ployer sous sa volonté de fer. Comment a-t-il cédé aujourd'hui ? Comment ses hommes ont-ils cédé ? Je n'en sais rien, mais je ne voudrais pas hasarder une nouvelle épreuve. Restez ici, ne quittez pas cette chambre, l'intérieur des murailles. Faites un pas hors du château, je ne réponds plus de rien que de me faire tuer pour vous défendre.

— Ne pourrais-je donc pas continuer ma route vers le monastère ?

— Vous n'y arriverez pas.

— Que faire alors ?

— Ma mère, malgré sa préférence pour Kostaki, le fils de son amour, est bonne et généreuse. Elle vous défendra des brutales passions de Kostaki. Mettez-vous sous sa protection. Vous êtes belle, elle vous aimera. Venez dans la salle du souper, où elle vous attend. Parlez en polonais, personne ne connaît cette langue ici. Je traduirai vos paroles. Surtout pas un mot sur ce que je viens de vous révéler.

Je le suivis dans un escalier éclairé par des torches de résine brûlant à des mains qui sortaient des murailles. Nous arrivâmes à la salle à manger. Une grande femme s'avança vers nous. Elle portait ses cheveux blancs nattés autour de sa tête. Elle était coiffée d'un petit bonnet de martre zibeline, surmonté d'une aigrette, témoignage de son origine princière. Elle portait une espèce de tunique de drap d'or, au corsage semé de pierreries recouvrant une longue robe d'étoffe turque, garnie de fourrure pareille à celle du bonnet. Elle tenait à la main un chapelet à grains d'ambre qu'elle roulait très vite entre ses doigts. À côté d'elle était Kostaki, portant le splendide et majestueux costume magyar sous lequel il me sembla plus étrange encore. Il me salua gauchement et prononça quelques paroles moldaves qui restèrent inintelligibles pour moi. La princesse me montra la table, m'offrit un siège près d'elle, désigna du geste la maison tout entière, comme pour me dire qu'elle était à moi.

Le souper fut triste. Pas une seule fois Kostaki ne m'adressa la parole. Quant à Smérande, elle m'offrit de tout elle-même avec cet air solennel qui ne la quittait jamais.

À la fin du souper je la saluai, ainsi que ses deux fils et rentrai dans mon appartement. Le sofa était devenu un lit. Voilà le seul changement qui s'y fût fait. Singulier jeu de lumière dans cette chambre immense, qui établissait une lutte entre la lueur de ma bougie et les rayons de la lune qui passaient par ma fenêtre sans rideaux. Outre la porte par laquelle j'étais entrée, il y en avait deux autres, dotées d'énormes verrous, qui se tiraient de mon côté. J'ouvris ma fenêtre, elle donnait sur un précipice.

Revenant à mon sofa, je trouvai sur une table placée à mon chevet un petit billet plié :

« Dormez tranquille, vous n'avez rien à craindre tant que vous demeurerez dans l'intérieur du château.
                                        Grégoriska. »

À dater de ce moment commença le drame que je vais vous raconter. Les deux frères devinrent amoureux de moi, chacun avec les nuances de son caractère.

Kostaki, dès le lendemain, me dit qu'il m'aimait, déclara que je serais à lui et non à un autre et qu'il me tuerait plutôt que de me laisser appartenir à qui que ce fût.

Grégoriska ne dit rien, mais il m'entoura de soins et d'attentions. Au premier regard de ses yeux, j'avais senti que ce regard pénétrait jusqu'à mon cœur.

Au bout de trois mois, Kostaki m'avait cent fois répété qu'il m'aimait, et je le haïssais. Au bout de trois mois, Grégoriska ne m'avait pas encore dit un seul mot d'amour, et je sentais que lorsqu'il l'exigerait, je serais toute à lui. Smérande aussi m'aimait d'une amitié passionnée, dont l'expression me faisait peur. Elle protégeait visiblement Kostaki, et semblait être plus jalouse de moi qu'il ne l'était lui-même. Elle apprit à dire en français trois mots qu'elle me répétait chaque fois que ses lèvres se posaient sur mon front :

— Kostaki aime Hedwige.

Un soir, comme je venais de rentrer dans ma chambre, j'entendis frapper doucement à l'une des deux portes que j'ai désignées comme fermant en dedans. Je m'approchai et demandai qui était là.

— Grégoriska !

— Que me voulez-vous ? lui demandai-je toute tremblante.

— Éteignez votre lumière comme si vous étiez couchée, et, dans une demi-heure, ouvrez-moi votre porte.

— Revenez dans une demi-heure, fut ma seule réponse.

Mon cœur battait avec violence, car je comprenais qu'il s'agissait de quelque événement important. La demi-heure s'écoula, et sans même qu'il le dît, je repoussai la porte derrière Grégoriska et fermai les verrous.

Il resta un moment muet et immobile, m'imposant silence du geste. Puis, lorsqu'il se fut assuré que nul danger urgent ne nous menaçait, il m'emmena au milieu de la vaste chambre, et, sentant à mon tremblement que je ne saurais rester debout, il alla me chercher une chaise.

Je m'assis, ou plutôt je me laissai tomber sur cette chaise.

— Oh ! Mon Dieu, lui dis-je, qu'y a-t-il donc, et pourquoi tant de précautions ?

— Parce que ma vie, ce qui ne serait rien, parce que la vôtre aussi, dépendent de la conversation que nous allons avoir.

Je lui saisis la main, tout effrayée. Il porta ma main à ses lèvres.

— Je vous aime, me dit-il de sa voix mélodieuse comme un chant. M'aimez-vous ?

— Oui, lui répondis-je.

— Consentiriez-vous à être ma femme ?

— Oui.

Il passa la main sur son front avec une profonde aspiration de bonheur.

— Alors, vous ne refuserez pas de me suivre ?

— Je vous suivrai partout !

— Car vous comprenez, continua-t-il, nous ne pouvons être heureux qu'en fuyant.

— Oh oui ! fuyons !

— Silence ! fit-il en tressaillant. Silence !

46

Je me rapprochai toute tremblante de lui.

— Écoutez ! Demain, je vais au monastère de Hango pour prendre mes derniers arrangements avec le supérieur. Il me tient des chevaux prêts, ces chevaux nous attendront à partir de neuf heures cachés à cent pas du château. Après souper, vous remontez comme aujourd'hui, comme aujourd'hui, vous éteignez votre lumière, comme aujourd'hui, j'entre chez vous. Mais demain, au lieu d'en sortir seul, vous me suivez, nous gagnons la porte qui donne sur la campagne, nous trouvons nos chevaux, nous nous élançons dessus, et après-demain nous avons fait trente lieues.

— Que ne sommes-nous à après-demain !

Grégoriska me serra contre son cœur et nos lèvres se rencontrèrent. La nuit s'écoula sans que je pusse dormir un seul instant. Le jour vint, je descendis. Il me sembla qu'il y avait quelque chose de plus sombre encore qu'à l'ordinaire dans la façon dont Kostaki me salua. Son sourire n'était même plus une ironie, c'était une menace. Quant à Smérande, elle me parut la même que d'habitude.

Vers onze heures, Grégoriska nous salua, annonçant son retour pour le soir seulement, et pria sa mère de ne pas l'attendre à dîner. Puis, se tournant vers moi, il me pria à mon tour d'agréer ses excuses. Il sortit. L'œil de son frère le suivit jusqu'au moment où il quitta la pièce et, en ce moment, il jaillit de cet œil un tel éclair de haine que je frissonnai.

La journée s'écoula au milieu de transes que vous pouvez concevoir. Il me semblait que nos projets étaient connus de tout le monde et que chaque regard qui se fixait sur moi pouvait pénétrer et lire au fond de mon cœur. Le dîner fut un supplice : sombre et taciturne, Kostaki parlait rarement, en moldave, et chaque fois l'accent de sa voix me fit tressaillir.

Quand je me levai pour regagner ma chambre, Smérande, comme d'habitude, m'embrassa et me dit cette phrase que depuis huit jours je n'avais point entendue sortir de sa bouche :

— Kostaki aime Hedwige !

Cette phrase me poursuivit comme une menace. Une fois dans ma chambre, il me semblait qu'une voix fatale murmurait à mon oreille : « Kostaki aime Hedwige ! »

Or, l'amour de Kostaki, c'était la mort.

Vers sept heures du soir, comme le jour commençait à baisser, je vis Kostaki traverser la cour. Il se retourna pour regarder de mon côté, mais je me rejetai en arrière pour qu'il ne me vît pas. Je me hasardai à tirer les verrous de ma chambre et à me glisser dans la chambre voisine pour voir ce qu'il allait faire. Il se rendait aux écuries. Il en fit sortir son cheval favori, le sella de ses propres mains et avec le soin d'un homme qui attache la plus grande importance aux moindres détails. Il avait le même costume sous lequel il m'était apparu la première fois. Pour toute arme, il portait son sabre.

Son cheval sellé, il jeta encore les yeux sur la fenêtre de ma chambre. Puis, ne me voyant pas, il sauta en selle, se fit ouvrir la porte et s'éloigna au galop, dans la direction du monastère de Hango.

Alors mon cœur se serra d'une façon terrible. Un pressentiment fatal me disait que Kostaki allait au-devant de son frère.

Je restai à cette fenêtre tant que je pus distinguer la route. La nuit descendit, je restai encore. Enfin mon inquiétude, par son excès même, me rendit ma force et comme c'était dans la salle d'en bas que je devais avoir les premières nouvelles de l'un ou l'autre des deux frères, je descendis. Mon premier regard fut pour Smérande. Je vis, au calme de son visage, qu'elle ne ressentait aucune appréhension. Elle donnait ses ordres pour le souper et les couverts des deux frères étaient à leur place.

C'était à neuf heures ordinairement que l'on se mettait à table pour le souper. J'étais descendue à huit heures et demie. Je suivais l'aiguille des minutes, dont la marche était presque visible sur le vaste cadran de l'horloge. L'aiguille voyageuse franchit la distance qui la séparait du quart. Le quart sonna. La vibration retentit sombre et triste, puis l'aiguille reprit sa marche, avec la régularité et la lenteur d'une pointe de compas. Quelques minutes avant neuf heures, il me sembla entendre le galop d'un cheval dans la cour. Smérande l'entendit aussi, car elle tourna la tête du côté de la fenêtre, mais la nuit était trop épaisse pour qu'elle pût voir. Oh ! Si elle m'avait regardée en ce moment, elle aurait pu deviner ce qui se passait dans mon cœur ! On n'avait entendu que le trot d'un seul cheval, et c'était tout simple. Je savais bien, moi, qu'il ne reviendrait qu'un seul cavalier.

Mais lequel ?

Des pas résonnèrent dans l'antichambre. Ces pas étaient lents et semblaient pleins d'hésitation. Chacun de ces pas semblait peser sur mon cœur.

La porte s'ouvrit, je vis dans l'obscurité se dessiner une ombre. Cette ombre s'arrêta un moment sur la porte. Mon cœur était suspendu.

L'ombre s'avança et au fur et à mesure qu'elle entrait dans le cercle de lumière, je respirais. Je reconnus Grégoriska. Un instant de doute de plus, et mon cœur se brisait. Grégoriska était pâle comme un mort. Rien qu'à le voir, on devinait que quelque chose de terrible venait de se passer.

— Personne n'a-t-il vu Kostaki ? demanda Smérande.

Le majordome s'informa autour de lui.

— Vers les sept heures, dit-il, le comte a été aux écuries, a sellé son cheval et est parti par la route de Hango.

En ce moment, mes yeux rencontrèrent les yeux de Grégoriska. Je ne sais si c'était une réalité ou une hallucination, il me sembla qu'il avait une goutte de sang au milieu du front. Je portai lentement mon doigt à mon propre front, indiquant l'endroit où je croyais voir cette tache. Grégoriska me comprit, il prit son mouchoir et s'essuya.

— Que l'on serve ! dit Smérande. Que l'on se mette à table et que l'on ferme les portes. Ceux qui sont dehors coucheront dehors !

Les serviteurs sortirent pour fermer les portes du château. En ce moment, on entendit un grand bruit

50

dans la cour et un valet entra tout effaré dans la salle en disant :

— Princesse, le cheval du comte Kostaki vient d'entrer dans la cour, seul, et tout couvert de sang.

— Oh ! murmura Smérande en se dressant pâle et menaçante, c'est ainsi qu'est rentré un soir le cheval de son père.

Je jetai les yeux sur Grégoriska, il n'était plus pâle, il était livide.

Smérande prit une torche des mains d'un des valets et descendit dans la cour. Elle s'avança vers l'animal, regarda le sang qui tachait sa selle et reconnut une blessure au front.

— Kostaki a été tué en face, dit-elle, en duel et par un seul ennemi. Cherchez son corps, enfants, plus tard, nous chercherons son meurtrier.

Smérande attendit debout à la porte. Pas une larme ne coulait des yeux de cette mère désolée, et cependant on sentait gronder le désespoir au fond de son cœur. Au bout d'un quart d'heure à peu près, on vit au tournant du chemin reparaître une torche, puis deux, puis toutes les torches. Seulement cette fois, au lieu de s'éparpiller dans la campagne, elles étaient massées autour d'un centre commun. Ce centre commun, on put bientôt voir qu'il se composait d'une litière et d'un homme étendu sur cette litière. Au bout de dix minutes, le funèbre cortège fut à la porte, puis dans la grande salle, dans laquelle on déposa le corps.

Smérande écarta tout le monde et, s'approchant du cadavre, elle mit un genou en terre devant lui et

51

le contempla longtemps, les yeux toujours secs. Puis, ouvrant la robe moldave, elle écarta la chemise souillée de sang. Cette blessure était au côté droit de la poitrine. Elle avait dû être faite par une lame droite et coupante des deux côtés. Je me rappelai avoir vu le jour même, au côté de Grégoriska, le long couteau de chasse qui servait de baïonnette à sa carabine. Je cherchai à son côté cette arme, mais elle avait disparu.

Smérande demanda de l'eau, trempa son mouchoir dans cette eau et lava la plaie.

Le spectacle que j'avais sous les yeux avait quelque chose d'atroce et de sublime à la fois. Cette vaste chambre, enfumée par les torches de résine, ces visages barbares, ces yeux brillants de férocité, ces costumes étranges, cette mère qui calculait, à la vue du sang encore chaud, depuis combien de temps la mort lui avait pris son fils, ce grand silence, interrompu par les sanglots des brigands dont Kostaki était le chef, tout cela, je le répète, était atroce et sublime à la fois.

— Grégoriska ! dit Smérande.

— Ma mère ?

— Venez ici, mon fils, et écoutez-moi !

Grégoriska obéit en frémissant, mais il obéit.

— Je sais bien que Kostaki et toi vous ne vous aimiez point. Je sais bien que tu es Waivady par ton père et lui Koproli par le sien, mais, par votre mère, vous étiez tous deux des Brancovan. Tu es un homme des villes et lui, un enfant des montagnes, mais par le ventre qui vous a portés tous deux, vous êtes frères.

Je veux savoir si je peux pleurer mon fils, me reposant sur vous de la punition ?

— Nommez-moi le meurtrier de mon frère, madame, et ordonnez. Je vous jure qu'avant une heure, si vous l'exigez, il aura cessé de vivre.

— Jurez, Grégoriska, jurez que le meurtrier mourra, que vous ne laisserez pas pierre sur pierre de sa maison, que sa mère, ses enfants, ses frères, sa femme ou sa fiancée périront de votre main.

Grégoriska étendit la main sur le cadavre.

— Je jure que le meurtrier mourra ! dit-il.

À ce serment étrange, je vis ou je crus voir s'accomplir un effroyable prodige. Les yeux du cadavre se rouvrirent et s'attachèrent sur moi plus vivants que je ne les avais jamais vus et je sentis, comme si ce double rayon eût été palpable, pénétrer un fer brûlant jusqu'à mon cœur.

C'était plus que je n'en pouvais supporter. Je m'évanouis.

Quand je me réveillai, j'étais dans ma chambre, couchée sur mon lit. Trois jours et trois nuits s'écoulèrent ainsi au milieu de rêves étranges. Dans ma veille ou dans mon sommeil, je voyais toujours ces yeux vivants au milieu de de ce visage mort : c'était une vision horrible.

C'était le troisième jour que devait avoir lieu l'enterrement de Kostaki. Le matin de ce jour on m'apporta de la part de Smérande un costume complet de veuve. Je m'habillai et je descendis. La maison semblait vide.

Tout le monde était à la chapelle. Je m'acheminai vers le lieu de la réunion. Au moment où j'en franchis le seuil, Smérande, que je n'avais pas vue depuis trois jours, vint à moi. D'un mouvement lent comme celui d'une statue, elle posa ses lèvres glacées sur mon front et, d'une voix qui semblait déjà sortie de la tombe, elle prononça ces paroles habituelles :

— Kostaki vous aime.

Vous ne pouvez vous faire une idée de l'effet que produisirent sur moi ces paroles. Cette protestation d'amour faite au présent, au lieu d'être au passé. Ce "vous aime" au lieu de "vous aimait", cet amour d'outre-tombe, qui venait chercher dans la vie, fit sur moi une impression terrible. En même temps, un étrange sentiment s'emparait de moi, comme si j'eusse été la femme de celui qui était mort, et non la fiancée de celui qui était vivant. Ce cercueil m'attirait à lui, malgré moi, douloureusement, comme le serpent attire l'oiseau qu'il fascine.

Les moines du couvent de Hango entouraient le corps en chantant des psalmodies du rite grec. Je voulais prier moi aussi, mais la prière expirait sur mes lèvres. Il me semblait plutôt assister à un consistoire de démons qu'à une réunion de prêtres. Au moment où on enlevait le corps, Smérande m'adressa la parole en langue moldave, et Grégoriska traduisit :

— Je vous remercie de vos larmes et de votre amour, Hedwige. Vous êtes autant ma fille que si Kostaki eût été votre époux. Répandons la somme de larmes que l'on doit aux morts, puis redevenons toutes deux dignes de celui qui n'est plus, moi, sa mère, vous, sa femme ! Adieu, je vais suivre mon fils jusqu'à sa dernière demeure, à mon retour, je m'enfermerai avec ma douleur et vous ne me verrez que lorsque je l'aurai vaincue. Soyez tranquille, je la tuerai, car je ne veux pas qu'elle me tue.

Je remontai dans ma chambre. Le convoi s'éloigna. Nous étions au mois de novembre. Les journées étaient redevenues froides et courtes. À cinq heures du soir, il faisait nuit close. Vers sept heures, je vis reparaître les torches. C'était le cortège funèbre qui rentrait. Le cadavre reposait dans le tombeau de ses pères. Tout était dit.

J'entendis sonner neuf heures moins un quart. Une étrange sensation s'empara de moi. C'était une terreur frissonnante qui courait par tout mon corps, et le glaçait avec terreur, un sommeil invincible alourdissait mes sens, ma poitrine m'oppressa, mes yeux se voilèrent, j'étendis les bras et j'allai à reculons tomber sur mon lit. J'entendis un pas qui s'approchait de ma porte, il me sembla que ma porte s'ouvrait. Puis je ne vis et n'entendis plus rien.

Seulement je sentis une vive douleur au cou. Après quoi je tombai dans une léthargie complète. À minuit je me réveillai, je voulus me lever, mais j'étais si faible que je dus m'y reprendre à deux fois. Je vainquis cette faiblesse et comme j'éprouvais au cou la même douleur que j'avais éprouvée dans mon sommeil, je me traînai, en m'appuyant contre la muraille, jusqu'à la glace et je regardai. Quelque chose pareil à une piqûre d'épingle marquait l'artère de mon cou. Je pensai que quelque insecte m'avait mordue pendant mon sommeil, et comme j'étais écrasée de fatigue, je me couchai et je m'endormis.

Le lendemain, je me réveillai comme d'habitude. Comme d'habitude, je voulus me lever aussitôt que mes yeux fussent ouverts, mais j'éprouvai une faiblesse que je n'avais éprouvée encore qu'une seule fois dans ma vie, le lendemain d'un jour où j'avais été saignée. Je m'approchai de ma glace et je fus frappée de ma pâleur.

La journée se passa triste et sombre. Où j'étais, j'avais besoin de rester, tout déplacement était une fatigue.

À la même heure que la veille, j'éprouvai les mêmes symptômes. Je voulus me lever alors et appeler du secours, mais je ne pus aller jusqu'à la porte. J'entendis vaguement le timbre de l'horloge sonnant neuf heures moins un quart, les pas résonnèrent, la porte s'ouvrit, mas je ne voyais, je n'entendais plus rien. Comme la veille, j'étais allée tomber renversée sur mon lit. Comme la veille, j'éprouvai une douleur au même endroit. Comme la veille, je me réveillai à minuit. Seulement je me réveillai plus faible et plus pâle que la veille. Le lendemain encore l'horrible obsession se renouvela.

J'étais décidée à descendre près de Smérande, lorsque Grégoriska entra. Je voulus me lever pour le recevoir, mais je retombai sur mon fauteuil. Il jeta un cri en m'apercevant et s'élança vers moi.

— Qu'avez-vous donc, et pourquoi êtes-vous si pâle ?

— J'ai... que Dieu prend pitié de moi et qu'il m'appelle à lui !

— Cette pâleur n'est point naturelle Hedwige, d'où vient-elle ? Dites !

— Si je vous le disais, vous croiriez que je suis folle.

— Non, non, dites. Nous sommes ici dans un pays qui ne ressemble à aucun autre pays, dans une famille qui ne ressemble à aucune autre famille. Parlez, je vous en supplie.

Je lui racontai tout : cette étrange hallucination qui me prenait à l'heure où Kostaki avait dû mourir, cette terreur, cet engourdissement, ce froid de glace, cette prostration qui me couchait sur mon lit, ce bruit de pas que je croyais entendre, cette porte que je croyais voir s'ouvrir, enfin cette douleur aiguë suivie d'une pâleur et d'une faiblesse croissantes.

Après mon récit, Grégoriska réfléchit un instant.

— Voulez-vous permettre que je voie votre blessure ? demanda-t-il.

Je renversai ma tête sur mon épaule et il examina la cicatrice.

— Hedwige, dit-il après un instant, avez-vous confiance en moi ?

— Vous le demandez ? répondis-je.

— Écoutez ! Et surtout ne vous effrayez pas. Dans notre Roumanie, il existe une tradition.

— Vous voulez parler des vampires, n'est-ce pas ?

— Oui, dans mon enfance, j'ai vu déterrer dans le

57

cimetière d'un village appartenant à mon père quarante personnes, mortes en quinze jours sans qu'on pût deviner la cause de leur mort. Parmi ces morts, dix-sept ont donné tous les signes du vampirisme, c'est-à-dire qu'on les a retrouvés frais, vermeils, et pareils à des vivants, les autres étaient leurs victimes.

— Et que fit-on pour en délivrer le pays ?

— On leur enfonça un pieu dans le cœur, et on les brûla ensuite... Mais pour nous, cela ne suffit pas. Pour vous délivrer du fantôme, je veux d'abord le connaître. Et s'il le faut, je lutterai corps à corps avec lui, quel qu'il soit. Mais il faut, pour mener à bien cette aventure, que vous consentiez à tout ce que je vais exiger de vous.

— Dites.

Le soir même, à sept heures, faible comme une mourante, pâle comme une morte, je jetai sur ma tête un grand voile noir, je descendis l'escalier, me soutenant aux murailles, et me rendis à la chapelle sans avoir rencontré personne. Grégoriska m'attendait avec le père Bazile, supérieur du couvent de Hango.

La cérémonie commença. Jamais peut-être il n'y en eut de plus simple et de plus solennelle à la fois. Nul n'assistait le pope. Lui-même nous plaça sur la tête les couronnes nuptiales. Vêtus de deuil tous les deux, nous fîmes le tour de l'autel un cierge à la main, puis le religieux, ayant prononcé les paroles saintes, ajouta :

— Allez maintenant, mes enfants, et que Dieu vous

donne le courage et la force de lutter contre l'ennemi du genre humain.

Nous remontâmes dans ma chambre.

Huit heures et demie sonnèrent.

Grégoriska tira de sa poitrine un buis bénit, tout humide encore d'eau sainte, et me le donna.

— Prends ce rameau, couche-toi sur ton lit, récite les prières à la Vierge et attends sans crainte. Dieu est avec nous, surtout, ne laisse pas tomber ton rameau, avec lui tu commanderas à l'enfer même. Ne m'appelle pas, ne crie pas, prie, espère et attends.

Je me couchai sur mon lit. Je croisai mes mains sur ma poitrine, sur laquelle j'appuyai le rameau bénit. Quant à Grégoriska, il se cacha derrière le dais qui coupait l'angle de ma chambre.

Je comptais les minutes. Les trois quarts sonnèrent. Le retentissement du marteau vibrait encore que je ressentis ce même engourdissement, cette même terreur, ce même froid glacial, mais j'approchai le rameau bénit de mes lèvres, et cette première sensation se dissipa.

Alors j'entendis bien distinctement le bruit de ce pas lent et mesuré qui retentissait dans l'escalier et qui s'approchait de ma porte. Puis ma porte s'ouvrit lentement, sans bruit, comme poussée par une force surnaturelle, et alors... Alors, j'aperçus Kostaki, pâle comme je l'avais vu sur la litière. Ses longs cheveux noirs, épars sur ses épaules, dégouttaient de sang. Il portait son costume habituel, seulement il était ouvert sur sa poitrine et laissait voir sa blessure saignante.

Tout était mort, tout était cadavre... chair, habits, démarche... les yeux seuls, ces yeux terribles étaient vivants.

Au lieu de sentir redoubler mon épouvante, je sentis croître mon courage. Au premier pas que le fantôme fit vers mon lit, je croisai hardiment mon regard avec ce regard de plomb et lui présentai le rameau bénit. Le spectre essaya d'avancer mais un pouvoir plus fort que le sien le maintint à sa place. Il s'arrêta.

Nous étions ainsi face à face, le fantôme et moi, sans que mes yeux pussent se détacher des siens, lorsque je vis Grégoriska sortir de la stalle de bois, tenant son épée à la main. Il fit le signe de croix de la main gauche et s'avança lentement l'épée tendue vers le fantôme. Celui-ci avait à son tour tiré son sabre avec un éclat de rire terrible, mais à peine le sabre avait-il touché le fer bénit que le bras du fantôme retomba inerte près de son corps.

Kostaki poussa un soupir plein de lutte et de désespoir.

— Au nom du Dieu vivant, dit Grégoriska, je t'adjure de répondre.

— Parle, dit le fantôme en grinçant des dents.

— Est-ce moi qui t'ai attendu ?

— Non.

— Est-ce moi qui t'ai attaqué ?

— Non.

— Est-ce moi qui t'ai frappé ?

— Non.

— Tu t'es jeté sur mon épée, et voilà tout. Donc,

aux yeux de Dieu et des hommes, je ne suis pas coupable du crime de fratricide. Donc, tu n'as pas reçu de mission divine, mais infernale. Donc, tu es sorti de ta tombe, non comme une ombre sainte, mais comme un spectre maudit, et tu vas rentrer dans ta tombe.

— Avec elle, oui, s'écria Kostaki en faisant un effort suprême pour s'emparer de moi.

— Seul, s'écria à son tour Grégoriska, cette femme m'appartient.

Et en prononçant ces paroles, du bout du fer bénit il toucha la plaie vive.

Kostaki poussa un cri comme si un glaive de flamme l'eût touché, et portant la main gauche à sa poitrine, il fit un pas en arrière. En même temps, et d'un mouvement qui semblait être emboîté avec le sien, Grégoriska fit un pas en avant. Alors, les yeux sur les yeux du mort, l'épée sur la poitrine de son frère, commença une marche lente, terrible et solennelle. Tous deux étaient haletants, tous deux livides, le vivant poussant le mort devant lui, et le forçant d'abandonner son château qui était sa demeure dans le passé, pour la tombe qui était sa demeure dans l'avenir.

Oh ! C'était horrible à voir, je vous jure. Et pourtant, mue moi-même par une force supérieure, invisible, inconnue, sans me rendre compte de ce que je faisais, je me levai et je les suivis. Nous descendîmes l'escalier, éclairés seulement par les prunelles ardentes de Kostaki. Nous traversâmes ainsi la galerie, ainsi la cour. Nous franchîmes ainsi la porte de ce même pas mesuré : le spectre à reculons, Grégoriska le bras tendu, moi les suivant.

Cette course fantastique dura une heure : il fallait reconduire le mort à sa tombe. Sous nos pieds, le sol s'aplanissait, les torrents se desséchaient, les arbres se reculaient, les rocs s'écartaient. Tout le ciel me semblait couvert d'un crêpe noir, la lune et les étoiles avaient disparu, et je ne voyais toujours dans la nuit briller que les yeux de flamme du vampire.

Nous arrivâmes au cimetière. À peine entrée, je distinguai dans l'ombre la tombe de Kostaki placée à côté de celle de son père. J'ignorais qu'elle fût là, et cependant je la reconnus.

Cette nuit-là, je savais tout.

Au bord de la fosse ouverte, Grégoriska s'arrêta.

— Kostaki, dit-il, tout n'est pas encore fini pour toi, et une voix du ciel me dit que tu seras pardonné si tu te repens : promets-tu de rentrer dans ta tombe, promets-tu de ne plus en sortir, promets-tu de vouer enfin à Dieu le culte que tu as voué à l'enfer ?

— Non ! répondit Kostaki.

— Te repens-tu ? demanda Grégoriska.

— Non !

— Pour la dernière fois, Kostaki ?

— Non !

— Eh bien ! Appelle à ton secours Satan comme j'appelle Dieu au mien, et voyons cette fois encore à qui restera la victoire !

Deux cris retentirent en même temps. Les fers se croisèrent, tout jaillissant d'étincelles, et le combat dura une minute qui me parut un siècle. Kostaki tomba. Je vis se lever l'épée terrible, je la vis s'enfoncer dans son corps et clouer ce corps à la terre fraîchement remuée. Un cri suprême, et qui n'avait rien d'humain, passa dans l'air. J'accourus.

Grégoriska était resté debout, mais chancelant.

J'accourus et je le soutins dans mes bras.

— Êtes-vous blessé ? lui demandai-je avec anxiété.

— Non, me dit-il. Mais dans un duel pareil, chère Hedwige, ce n'est pas la blessure qui tue, c'est la lutte. J'ai lutté avec la mort, j'appartiens à la mort.

— Ami ! Ami ! m'écriai-je, éloigne-toi, éloigne-toi d'ici, et la vie reviendra peut-être.

— Non, dit-il, voilà ma tombe, Hedwige. Mais ne perdons pas de temps. Prends un peu de cette terre imprégnée de son sang, et applique-la sur la morsure qu'il t'a faite. C'est le seul moyen de te préserver dans l'avenir de son horrible amour.

J'obéis en frissonnant. Je me baissai pour ramasser cette terre sanglante et, en me baissant, je vis le cadavre cloué au sol. L'épée bénite lui traversait le cœur et un sang noir et abondant sortait de sa blessure, comme s'il venait seulement de mourir à l'instant même. Je pétris un peu de terre avec le sang, et j'appliquai l'horrible talisman sur ma blessure.

— Maintenant, mon Hedwige, dit Grégoriska d'une voix affaiblie, écoute bien mes dernières instructions : quitte le pays aussitôt que tu pourras. La distance seule est une sécurité pour toi. Le père Bazile a reçu aujourd'hui mes volontés suprêmes et il les accomplira. Hedwige ! Un baiser ! Le dernier, le seul, Hedwige !

Et, en disant ces mots, Grégoriska tomba près de son frère.

Huit jours après, je partis pour la France. Comme l'avait espéré Grégoriska, mes nuits cessèrent d'être fréquentées par le terrible fantôme. Ma santé même s'est rétablie, et je n'ai gardé de cet événement que cette pâleur mortelle qui accompagne jusqu'au tombeau toute créature humaine qui a subi le baiser d'un vampire.

La dame se tut, minuit sonna, et j'oserai presque dire que le plus brave de nous tressaillit au timbre de la pendule.

1849
Version abrégée

Adjuvant
(Grégoriska)

opposant
(Kostaki)

Destinateur
(Hedwige) — Sujet (Hedwige) — objet (Se débarasser de la force surna. qui la hante 8:45)

destinataire
(Hedwige)

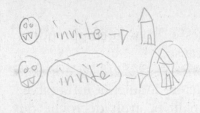

LA FAMILLE DU VOURDALAK

*

Alexis Tolstoï

L'année 1759, j'obtins une mission diplomatique auprès du hospodar de Moldavie. La veille de mon départ, je me présentai chez mon amie la duchesse de Gramont. Elle me dit d'une voix où perçait une certaine émotion :

— D'Urfé, vous faites là une grande folie. Mais je vous connais et je sais que vous ne reviendrez jamais sur une résolution prise. Ainsi, je ne vous demande qu'une chose : acceptez cette petite croix comme un gage de mon amitié et portez-la sur vous jusqu'à votre retour.

Je ne vous fatiguerai pas des détails de mon voyage. J'arrivai dans un village que je trouvai plongé dans la consternation. J'allais me retirer quand un homme d'environ trente ans, de haute stature et de figure imposante, s'approcha de moi et me prit par la main.

— Entrez, entrez, étranger, me dit-il, ne vous laissez

pas rebuter par notre tristesse. Vous la comprendrez quand vous en saurez la cause.

Il me confia alors que son vieux père, qui s'appelait Gorcha, homme d'un caractère inquiet et intraitable, s'était levé un jour de son lit et avait décroché du mur sa longue arquebuse turque.

« Enfants, avait-il dit à ses deux fils, l'un Georges, l'autre Pierre, je m'en vais de ce pas dans les montagnes me joindre aux braves qui donnent la chasse à ce chien d'Alibek (un brigand turc qui dévastait le pays). Attendez-moi pendant dix jours, et si je ne reviens pas le dixième, faites-moi dire une messe de mort, car alors je serai tué. Mais, avait ajouté le vieux Gorcha en prenant son air le plus sérieux, si je revenais après les dix jours révolus, pour votre salut ne me laissez pas entrer. Je vous ordonne dans ce cas d'oublier que j'étais votre père et de me percer d'un pieu quoi que je puisse dire ou faire, car alors je ne serais qu'un maudit vourdalak qui viendrait sucer votre sang. »

Il vous sera facile d'imaginer l'effet qu'avaient produit les paroles du vieux Gorcha sur ses fils. Tous deux le supplièrent le les laisser partir à sa place, mais, pour toute réponse, il leur tourna le dos et s'en alla en chantonnant le refrain d'une vieille chanson.

Le jour où j'arrivai dans le village était précisément celui où devait expirer le terme fixé par Gorcha.

C'était une bonne et honnête famille. Georges, l'aîné des deux fils, aux traits mâles et bien marqués, paraissait un homme sérieux et résolu. Il était marié et père de deux enfants. Son frère Pierre, beau jeune homme de dix-huit ans, trahissait dans sa physionomie plus de douceur que de hardiesse, et paraissait le favori d'une sœur cadette, appelée Sdenka, qui pouvait passer pour le type de la beauté slave.

Nous étions tous réunis dans la maison autour d'une table garnie de fromage et de jattes de lait. Sdenka filait, sa belle-sœur préparait le souper des enfants qui jouaient dans le sable. Pierre, avec une insouciance affectée, sifflait en nettoyant un yatagan. Georges, accoudé sur la table, sa tête entre ses mains et le front soucieux, dévorait des yeux le grand chemin et ne disait mot.

Quant à moi, vaincu par la tristesse générale, je regardais mélancoliquement les nuages du soir encadrant le fond d'or du ciel et la silhouette d'un couvent qu'une noire forêt de pins masquait à demi.

Tout à coup, Georges rompit le silence.

— Femme, dit-il, à quelle heure le vieux est-il parti ?

— À huit heures, répondit la femme, j'ai bien entendu sonner la cloche du couvent.

— Alors, c'est bien, reprit Georges, il ne peut pas être plus de sept heures et demie.

Et il se tut en fixant de nouveau les yeux sur le grand chemin qui se perdait dans la forêt.

Il convient de préciser que lorsque les Serbes soupçonnent quelqu'un de vampirisme, ils évitent de le nommer par son nom, car ils pensent que ce serait l'évoquer du tombeau. Aussi, depuis quelque temps,

Georges, en parlant de son père, ne l'appelait que le vieux.

Il se passa quelques instants de silence. Tout à coup, l'un des enfants dit à Sdenka, en la tirant par le tablier :

— Ma tante, quand donc grand-papa reviendra-t-il à la maison ?

Un soufflet de Georges fut la réponse à cette question intempestive. L'enfant se mit à pleurer, mais son petit frère dit d'un air à la fois étonné et craintif :

— Pourquoi donc, père, nous défends-tu de parler de grand-papa ?

Un autre soufflet lui ferma la bouche. Les deux enfants se mirent à brailler et toute la famille se signa.

Nous en étions là quand j'entendis l'horloge du couvent sonner lentement huit heures. À peine le premier coup avait-il retenti à nos oreilles que nous vîmes une forme humaine se détacher du bois et s'avancer vers nous.

— C'est lui ! Dieu soit loué ! s'écrièrent à la fois Sdenka, Pierre et sa belle-sœur.

— Dieu nous ait en sa sainte garde ! dit solennellement Georges. Comment savoir si les dix jours sont ou ne sont pas écoulés ?

Tout le monde le regarda avec effroi. Cependant la forme humaine avançait toujours. C'était un grand vieillard à la moustache d'argent, à la figure pâle et sévère et se traînant péniblement à l'aide d'un bâton. À mesure qu'il avançait, Georges devenait plus sombre. Lorsque le nouvel arrivé fut près de nous, il s'arrêta et promena sur sa famille des yeux qui paraissaient ne pas voir, tant ils étaient ternes et enfoncés dans leurs orbites.

— Eh bien, dit-il d'une voix creuse, personne ne se lève pour me recevoir ? Que veut dire ce silence ? Ne voyez-vous pas que je suis blessé ?

J'aperçus alors que le côté gauche du vieillard était ensanglanté.

— Mon père, dit Georges en s'approchant de Gorcha, montrez-moi votre blessure, je m'y connais et je vais la panser.

Il fit mine de lui ouvrir l'habit, mais le vieillard le repoussa durement et se couvrit le côté des deux mains.

— Va, maladroit, dit-il, tu m'as fait mal !

— Mais c'est donc au cœur que vous êtes blessé, s'écria Georges tout pâle. Allons, ôtez votre habit, il le faut, vous dis-je !

Le vieillard se leva droit et raide.

— Prends garde à toi, dit-il d'une voix sourde, si tu me touches, je te maudis !

Pierre se mit entre Georges et son père.

— Laisse-le, dit-il, tu vois bien qu'il souffre !

— Ne le contrarie pas, ajouta sa femme, tu sais qu'il ne l'a jamais toléré.

En ce moment nous vîmes un troupeau qui revenait du pâturage et s'acheminait vers la maison dans un nuage de poussière. Soit que le chien qui l'accompagnait n'eût pas reconnu son vieux maître, soit qu'il fût poussé par un autre motif, du plus loin qu'il aperçut Gorcha, il s'arrêta, le poil hérissé, et se mit à hurler comme s'il voyait quelque chose de surnaturel.

— Qu'a donc ce chien ? dit le vieillard d'un air de plus en plus mécontent, que veut dire tout cela ? Suis-je devenu un étranger dans ma propre maison ? Dix jours passés dans les montagnes m'ont-ils changé au point que mes chiens ne me reconnaissent pas ?

— Tu l'entends ? dit Georges à sa femme.

— Quoi donc ?

— Il avoue que dix jours sont passés !

— Mais non, puisqu'il est revenu au terme fixé.

— C'est bon, c'est bon, je sais ce qu'il y a à faire.

Comme le chien continuait à hurler : « Je veux qu'il soit tué ! » s'écria Gorcha. Georges ne bougea pas, mais Pierre se leva, les larmes aux yeux, et saisissant l'arquebuse de son père, il tira sur le chien qui roula dans la poussière.

— C'était pourtant mon chien favori, dit-il tout bas, je ne sais pourquoi le père a voulu qu'il fût tué.

— Parce qu'il a mérité de l'être, dit Gorcha. Allons, il fait froid, je veux rentrer !

Pendant que cela se passait dehors, Sdenka avait préparé pour le vieux une tisane d'eau-de-vie bouillie avec des poires, du miel et des raisins secs, mais son père la repoussa avec dégoût. Il montra la même aversion pour le plat de mouton au riz que lui présenta Georges et alla s'asseoir au coin de l'âtre, en murmurant entre ses dents des paroles inintelligibles.

Un feu de pins pétillait dans le foyer et animait de sa lueur tremblotante la figure du vieillard si pâle et si défaite que, sans cet éclairage, on aurait pu la prendre pour celle d'un mort. Sdenka vint s'asseoir auprès de lui.

— Mon père, dit-elle, si vous nous contiez vos aventures dans les montagnes ?

La jeune fille savait qu'elle touchait une corde sensible, car le vieux aimait parler guerres et combats. Aussi, une espèce de sourire passa sur ses lèvres décolorées, sans que ses yeux y prissent part, et il répondit en passant sa main sur ses beaux cheveux blonds :

— Oui, ma fille, oui, je veux bien te conter ce qui m'est arrivé dans les montagnes, mais ce sera une autre fois, car je suis fatigué aujourd'hui. Je te dirai cependant qu'Alibek n'est plus et que c'est de ma main qu'il a péri. Si quelqu'un en doute, continua le vieillard en promenant ses regards sur la famille, en voici la preuve !

Il défit une manière de besace qui lui pendait derrière le dos et en tira une tête livide et sanglante. Nous nous en détournâmes avec horreur, mais Gorcha, la donnant à Pierre :

— Tiens, lui dit-il, attache-moi ça au-dessus de la porte, pour que tous les passants apprennent qu'Alibek est tué et que les routes sont purgées de brigands !

Pierre obéit avec dégoût.

— Je comprends tout maintenant, dit-il, ce pauvre chien ne hurlait que parce qu'il flairait la chair morte.

— Oui, il flairait la chair morte, dit d'un air sombre Georges qui était sorti sans qu'on s'en aperçût, et qui rentrait, tenant à la main un objet qu'il déposa dans un coin et que je crus être un pieu.

— Georges, lui dit sa femme à mi-voix, tu ne veux pas, j'espère...

— Mon frère, ajouta sa sœur, que veux-tu faire ? Mais non, non, tu n'en feras rien, n'est-ce pas ?

— Laissez-moi, répondit Georges, je sais ce que j'ai à faire et je ne ferai rien qui ne soit nécessaire.

Sur ces entrefaites, la nuit étant venue, la famille alla se coucher dans une partie de la maison qui n'était séparée de ma chambre que par une cloison fort mince. J'avoue que ce que j'avais vu dans la soirée avait impressionné mon imagination. Ma lumière était éteinte, la lune donnait en plein dans une petite fenê-tre basse, tout près de mon lit, et jetait sur le plancher et les murs des lueurs blafardes. Je voulus dormir et ne le pus. J'attribuai mon insomnie à la clarté de la lune. Je cherchai quelque chose qui pût me servir de rideau, mais je ne trouvai rien. Alors, en entendant des voix confuses derrière la cloison, je me mis à écouter.

— Couchez-vous, disait Georges. Ne vous inquié-tez de rien, je veillerai pour vous.

— Mais Georges, répondit sa femme, c'est plutôt à moi de veiller, tu as travaillé la nuit passée, tu dois être fatigué.

— Sois tranquille et couche-toi, dit Georges.

— Mais mon frère, dit alors Sdenka de sa voix la plus douce, il me semble inutile de veiller. Notre père est déjà endormi et vois comme il a l'air calme et paisible.

— Vous n'y entendez rien ni l'une ni l'autre, répondit Georges d'un ton qui n'admettait pas de réplique. Je vous dis de vous coucher.

Il se fit alors un profond silence. Bientôt je sentis mes paupières s'appesantir et le sommeil s'emparer de mes sens.

Je crus voir ma porte s'ouvrir lentement et le vieux Gorcha paraître sur le seuil. Mais je soupçonnais sa forme plutôt que je la voyais, car il faisait bien noir dans la pièce d'où il venait. Il me sembla que ses yeux éteints cherchaient à deviner mes pensées et suivaient le mouvement de ma respiration. Il avança un pied, puis il avança l'autre. Avec une précaution extrême, il se mit à marcher vers moi à pas de loup. Puis il fit un bond et se trouva à côté de mon lit. J'éprouvais d'inexprimables angoisses, mais une force invisible me retenait immobile. Le vieux se pencha sur moi et approcha sa figure livide si près de la mienne que je crus sentir son souffle cadavéreux. Je fis un effort surnaturel et me réveillai, baigné de sueur. Il n'y avait personne dans ma chambre mais, jetant un regard vers la fenêtre, je vis distinctement le vieux Gorcha qui au-dehors avait collé son visage contre la vitre et fixait sur moi des yeux effrayants. J'eus la force de ne pas crier et la présence d'esprit de rester couché, comme si je n'avais rien vu. Cependant le vieux paraissait n'être venu que pour s'assurer que je dormais, car il ne fit pas de tentative pour entrer.

Après m'avoir bien examiné, il s'éloigna de la fenêtre et je l'entendis marcher dans la pièce voisine. Georges s'était endormi et il ronflait à faire trembler les murs. L'enfant toussa dans ce moment et je distinguai la voix de Gorcha.

— Tu ne dors pas, petit ? disait-il.

— Non, grand-papa, répondit l'enfant, et je voudrais bien causer avec toi.

— Ah, et de quoi causerons-nous ?

— Je voudrais que tu me racontes comment tu t'es battu avec les Turcs.

— J'y ai pensé, enfant, et je t'ai rapporté un petit yatagan que je te donnerai demain.

— Ah ! grand-papa, donne-le-moi tout de suite, puisque tu ne dors pas.

— Mais pourquoi, petit, ne m'as-tu pas parlé tant qu'il faisait jour ?

— Parce que papa me l'a défendu.

— Il est prudent, ton papa. Ainsi, tu voudrais bien avoir ton petit yatagan ?

— Oui, mais pas ici, car papa pourrait se réveiller.

— Où donc alors ?

— Si nous sortions, je te promets d'être bien sage et de ne pas faire de bruit.

Je crus distinguer un ricanement de Gorcha et j'entendis l'enfant qui se levait. Je ne croyais pas aux vampires, mais le cauchemar que je venais d'avoir agissait sur mes nerfs, et, ne voulant rien me reprocher par la suite, je me levai et donnai un coup de poing à la cloison. Il aurait suffi pour réveiller sept dormants, mais rien ne m'annonça que la famille l'avait entendu. Je me jetai vers la porte, bien résolu à sauver l'enfant, mais je la trouvai fermée du dehors et les verrous ne cédèrent pas à mes efforts. Pendant que je tâchais de l'enfoncer, je vis passer devant ma fenêtre le vieillard avec l'enfant dans ses bras.

— Levez-vous ! Levez-vous ! criai-je de toutes me forces et j'ébranlai la cloison de mes coups.

Alors seulement Georges se réveilla.

— Où est le vieux ? dit-il.

— Sortez vite, il vient d'emporter l'enfant !

D'un coup de pied Georges fit sauter la porte qui, de même que la mienne, avait été fermée du dehors et il se mit à courir dans la direction du bois. Je parvins enfin à réveiller Pierre, sa belle-sœur et Sdenka. Nous nous rassemblâmes devant la maison et après quelques minutes d'attente, nous vîmes revenir Georges avec son fils. Il l'avait trouvé évanoui sur le grand chemin, mais bientôt il était revenu à lui et il ne paraissait pas plus malade qu'auparavant. Pressé de questions, il répondit que son grand-père ne lui avait fait aucun mal, qu'ils étaient sortis ensemble pour mieux causer à leur aise, mais qu'une fois dehors, il avait perdu connaissance, sans se rappeler comment. Quant à Gorcha, il avait disparu.

Le reste de la nuit, comme on peut se l'imaginer, se passa sans sommeil.

Le lendemain, j'appris que le Danube, qui coupait le grand chemin à un quart de lieue du village, avait commencé à charrier des glaçons, ce qui arrive toujours dans ces contrées vers la fin de l'automne. Le passage était interrompu pendant quelques jours et je ne pouvais songer à mon départ. D'ailleurs, même si je l'avais pu, la curiosité, jointe à un attrait plus puissant, m'aurait retenu. En outre, plus je voyais Sdenka et plus je me sentais porté à l'aimer.

Dans le courant de la journée, je l'entendis s'entretenir avec son frère cadet.

— Que penses-tu de tout cela ? Est-ce que toi aussi tu soupçonnes notre père ?

— Non, d'autant que l'enfant dit qu'il ne lui a pas fait de mal, répondit Pierre. Et quant à sa disparition, tu sais qu'il n'a jamais rendu compte de ses absences.

— Je le sais, dit Sdenka, mais alors il faut le sauver, car tu connais Georges...

— Oui, oui, je le connais. Lui parler serait inutile, mais nous cacherons le pieu, et il n'ira pas en chercher un autre.

— Oui, cachons le pieu, mais n'en parlons pas aux enfants, car ils pourraient en jaser devant Georges !

— Nous nous en garderons bien, dit Pierre.

Et ils se séparèrent.

La nuit vint sans que nous eussions rien appris sur Gorcha. J'étais comme la veille étendu sur mon lit et la lune donnait en plein dans ma chambre. Quand le sommeil commença à brouiller mes idées, je sentis, comme par instinct, l'approche du vieillard. J'ouvris les yeux et je vis sa figure livide collée contre ma fenêtre.

Cette fois je voulus me lever, mais cela me fut impossible. Il me semblait que tous mes membres étaient paralysés. Après m'avoir bien regardé, le vieux s'éloigna. Je l'entendis faire le tour de la maison et frapper doucement à la fenêtre. L'enfant dormait où couchaient Georges et sa femme. Il se retourna dans son lit et gémit en rêve. Il se passa quelques minutes de silence, puis j'entendis encore frapper à la fenêtre. Alors l'enfant gémit de nouveau et se réveilla.

— Est-ce toi, grand-papa ? demanda-t-il.

— C'est moi, répondit une voix sourde, et je t'apporte ton petit yatagan.

— Mais je n'ose pas sortir, papa me l'a défendu.

— Tu n'as pas besoin de sortir, ouvre-moi seulement la fenêtre et viens m'embrasser !

L'enfant se leva et je l'entendis ouvrir la fenêtre. Alors, rappelant à moi toute mon énergie, je sautai à bas de mon lit et courus frapper à la cloison. En une minute Georges fut debout. Je l'entendis jurer, sa femme poussa un grand cri, bientôt toute la maison était rassemblée autour de l'enfant inanimé. Gorcha avait disparu comme la veille. À force de soins, nous parvînmes à faire reprendre connaissance à l'enfant, mais il était bien faible et respirait avec peine. Le pauvre petit ignorait la cause de son évanouissement. Sa mère et Sdenka l'attribuèrent à la frayeur d'avoir été surpris causant avec son grand-père. Moi, je ne disais rien. Cependant l'enfant s'était calmé, tout le monde se recoucha excepté Georges.

Vers l'aube, je l'entendis réveiller sa femme. Ils se

parlèrent à voix basse. Sdenka se joignit à eux et je l'entendis sangloter, ainsi que sa belle-sœur.

L'enfant était mort.

Je passe sous silence le désespoir de la famille. Personne pourtant n'en attribuait la cause au vieux Gorcha. Du moins, on n'en parlait pas ouvertement. Georges se taisait, mais son expression toujours sombre avait maintenant quelque chose de terrible. Pendant deux jours, le vieux ne reparut pas. Dans la nuit qui suivit le troisième (celui où eut lieu l'enterrement de l'enfant) je crus entendre des pas autour de la maison et une voix de vieillard qui appelait le petit frère du défunt. Il me sembla aussi pendant un moment voir la figure de Gorcha collée contre ma fenêtre. Je ne pus me rendre compte si c'était une réalité ou l'effet de mon imagination, car la lune était voilée. J'en parlai toutefois à Georges. Il questionna l'enfant et celui-ci confirma mes propos. Georges ordonna sévèrement à son fils de le réveiller si le vieux paraissait encore.

Ces circonstances tragiques n'empêchaient pas mon attirance pour Sdenka de se développer. Je n'avais pas pu, durant la journée, lui parler sans témoins et l'idée de mon prochain départ me serrait le cœur. La famille étant couchée, j'eus envie de faire un tour dans la campagne pour me distraire. Je vis que la porte de Sdenka était entrouverte. Sans réfléchir à rien, je poussai la porte et entrai.

Sdenka venait d'ôter une espèce de casaquin que

portent les femmes de son pays. Sa chemise brodée d'or et de soie rouge, serrée autour de sa taille par une simple jupe quadrillée composait tout son costume. Ses belles tresses blondes étaient dénouées et son négligé rehaussait ses traits.

Sans s'irriter de ma brusque entrée, elle en parut confuse et rougit légèrement.

— Oh ! mon ami, fuyez ! s'écria-t-elle. Si mon frère nous surprend, je suis perdue !

— Sdenka, je ne m'en irai que lorsque vous aurez promis de m'aimer. Je pars bientôt. Ne me donnerez-vous pas une heure ?

— Bien des choses peuvent arriver en une heure, dit Sdenka d'un air pensif, mais elle laissa sa main dans la mienne. Vous ne connaissez pas mon frère, continua-t-elle en frissonnant. J'ai un pressentiment qu'il viendra.

— Calmez-vous, Sdenka, votre frère est fatigué par ses veilles. La nuit est longue et je ne vous demande qu'une heure, avant de vous dire adieu pour toujours.

— Non ! Non ! Pas pour toujours, dit vivement Sdenka.

Je la serrai contre mon cœur. Elle se dégagea doucement de mes bras et alla se réfugier dans le fond de la chambre. J'étais là, devant elle, ne sachant que lui dire quand tout à coup je la vis tressaillir et fixer sur la fenêtre un regard de terreur. Je suivis la direction de ses yeux et je vis distinctement la figure immobile de Gorcha qui nous observait du dehors.

Au même instant, je sentis une lourde main se poser sur mon épaule. Je me retournai. C'était Georges.

— Que faites-vous ici ? me demanda-t-il.

Déconcerté par cette brusque apostrophe, je lui montrai son père qui nous regardait par la fenêtre et qui disparut sitôt que Georges l'aperçut.

— J'avais entendu le vieux et j'étais venu prévenir votre sœur, lui dis-je.

Georges me regarda comme s'il voulait lire le fond de mon âme. Puis il me prit par le bras, me conduisit à ma chambre et s'en alla sans proférer une parole.

Le lendemain, la famille était réunie devant la porte de la maison autour d'une table chargée de laitages.

— Où est l'enfant ? demanda Georges.

— Il est dans la cour, répondit sa mère, il joue tout seul à son jeu favori et s'imagine combattre les Turcs.

À peine avait-elle prononcé ces mots que nous vîmes s'avancer vers nous du fond du bois la grande figure de Gorcha qui marcha lentement vers notre groupe et s'assit à table comme il l'avait fait le jour de mon arrivée.

— Mon père, soyez le bienvenu, murmura sa belle-fille d'une voix à peine intelligible.

— Soyez le bienvenu, mon père, répétèrent en chœur Sdenka et Pierre à voix basse.

— Mon père, dit Georges d'une voix ferme mais en changeant de couleur, nous vous attendons pour prononcer la prière.

Le vieux se détourna en fronçant les sourcils.

— La prière à l'instant même ! répéta Georges, et faites le signe de croix, ou par...

Sdenka et sa belle-sœur se penchèrent vers le vieux et le supplièrent de prononcer la prière.

— Non ! dit le vieillard, il n'a pas le droit de me commander et s'il insiste, je le maudis !

Georges se leva et courut dans la maison. Il revint bientôt, la fureur dans les yeux.

— Où est le pieu ? s'écria-t-il. Où avez-vous caché le pieu ?

Sdenka et Pierre échangèrent un regard.

— Cadavre ! dit alors Georges en s'adressant à son père. Qu'as-tu fait de mon aîné ? Pourquoi as-tu tué mon enfant ? Rends-moi mon fils, cadavre !

En parlant ainsi il devenait de plus en plus pâle et ses yeux s'animaient davantage. Le vieux lui lança un regard mauvais et ne bougea pas.

— Oh ! Le pieu ! Le pieu ! s'écria Georges. Que celui qui l'a caché réponde des malheurs qui nous attendent !

Nous entendîmes alors les joyeux éclats de rire de l'enfant cadet qui arrivait à cheval sur un grand pieu qu'il traînait en caracolant dessus et en poussant de sa petite voix le cri de guerre des Serbes quand ils attaquent l'ennemi. À cette vue, le regard de Georges flamboya. Il arracha le pieu à l'enfant et se précipita sur son père. Celui-ci poussa un hurlement et se mit à courir en direction du bois avec une vitesse si peu conforme à son âge qu'elle en paraissait surnaturelle.

Georges le poursuivit à travers champs et bientôt nous les perdîmes de vue.

Le soleil s'était couché quand Georges revint à la maison, pâle comme la mort et les cheveux hérissés. Il s'assit près du feu et je crus entendre ses dents claquer. Personne n'osa le questionner. Vers l'heure où la famille avait coutume de se séparer, il parut recouvrer toute son énergie et, me prenant à part, il me dit de la manière la plus naturelle :

— Mon cher hôte, je viens de voir la rivière. Il n'y a plus de glaçons, le chemin est libre, rien ne s'oppose à votre départ. Il est inutile, ajouta-t-il en jetant un regard à Sdenka, de prendre congé de ma famille. Elle vous souhaite par ma bouche tout le bonheur qu'on peut désirer ici-bas. Demain, au point du jour, vous trouverez votre cheval sellé et votre guide prêt à vous suivre. Adieu, rappelez-vous quelquefois votre hôte et pardonnez-lui si votre séjour ici n'a pas été aussi exempt de tribulations qu'il l'aurait désiré.

Les traits durs de Georges avaient en ce moment une expression presque cordiale. Il me conduisit dans ma chambre et me serra la main une dernière fois. Puis il tressaillit et ses dents claquèrent comme s'il grelottait de froid.

Je ne pus malheureusement pas avoir d'entrevue avec Sdenka. Dès le lendemain, je sautai sur mon cheval et piquai des deux en direction de Jassy, me promettant, à mon retour, de repasser par ce village. Je pensais déjà à ce moment quand un brusque mouvement du cheval faillit me faire perdre l'équilibre.

L'animal s'arrêta, se raidit sur ses pattes de devant et fit entendre des naseaux ce bruit d'alarme qu'arrache à ses semblables la proximité d'un danger. Je regardai avec attention et vis à une centaine de pas devant moi un loup qui creusait la terre. Au bruit que je fis, il prit la fuite, j'enfonçai mes éperons dans les flancs de ma monture et parvins à la faire avancer. J'aperçus alors à l'endroit qu'avait quitté le loup une fosse toute fraîche. Il me sembla en outre distinguer le bout d'un pieu dépassant de quelques pouces la terre que le loup venait de remuer. Cependant je ne l'affirme pas, car je passai très vite près de cet endroit.

Les affaires qui m'amenaient à Jassy furent terminées au bout de six mois. Je ne pensais plus ni à Sdenka ni à sa famille quand un soir, chevauchant dans la campagne, mon guide et moi frappâmes à la porte d'un couvent pour demander si l'on pourrait trouver un gîte au village.

— Vous en trouverez plus d'un, me répondit l'ermite en poussant un profond soupir. Grâce au mécréant Gorcha, il n'y manque pas de maisons vides.

— Pourquoi ? demandai-je. Le vieux Gorcha vit-il encore ?

— Oh non ! Celui-là est bel et bien enterré avec un pieu dans le cœur. Mais il avait sucé le sang du fils de Georges. L'enfant est revenu une nuit, pleurant à sa porte, disant qu'il avait froid et qu'il voulait rentrer. Sa sotte de mère, bien qu'elle l'eût enterré elle-même, n'eut pas le courage de le renvoyer au cimetière et lui ouvrit.

— Et Sdenka ?

— Oh ! Celle-là devint folle de douleur. Pauvre enfant, ne m'en parlez pas ! Le vampirisme est contagieux, continua l'ermite en se signant. Bien des familles au village en sont atteintes, bien des familles sont mortes jusqu'à leur dernier membre. Vous devriez rester cette nuit au couvent, car même si vous n'étiez pas dévoré au village par les vourdalak, la peur qu'ils vous feront suffira à blanchir vos cheveux avant que j'aie sonné matines.

Le mot "peur" faisait de tout temps sur moi l'effet du clairon sur un coursier de guerre. J'aurais eu honte de moi-même si je n'étais parti aussitôt. Mon guide, tout tremblant, me demanda la permission de rester et je la lui accordai.

Je mis environ une demi-heure pour arriver au village. Je le trouvai désert. Pas une lumière ne brillait aux fenêtres, pas une chanson ne se faisait entendre. Je passai en silence devant toutes ces maisons dont la plupart m'étaient connues et j'arrivai enfin à celle de Georges. Je résolus d'y passer la nuit.

Aucune porte n'était fermée, pourtant toutes les chambres paraissaient inhabitées. Celle de Sdenka semblait n'avoir été abandonnée que de la veille. Quelques vêtements gisaient encore sur le lit. Quelques bijoux qu'elle tenait de moi et parmi lesquels je reconnus une petite croix en émail que j'avais achetée en passant par Pesth brillaient sur une table à la lueur de la lune. J'eus un serrement de cœur, bien que mon amour fût passé. Cependant je m'enveloppai dans mon manteau et je m'étendis sur le lit. Bientôt le sommeil me gagna.

Je fus réveillé à demi par un son harmonieux, semblable au bruissement d'un champ de blé agité par la brise légère. Il me sembla entendre les épis s'entrechoquer mélodieusement et le chant des oiseaux se mêler au roulement d'une cascade et au chuchotement des arbres. Puis il me parut que tous ces sons confus n'étaient que le frôlement d'une robe de femme. J'ouvris les yeux et je vis Sdenka près de mon lit. Je la trouvai plus belle et plus développée. Elle avait le même négligé que la dernière fois, quand je l'avais vue seule, une simple chemise brodée d'or et de soie, et puis une jupe étroitement serrée au dessus des hanches.

— Sdenka, dis-je en me levant, est-ce bien vous ?

— Oui, c'est moi, me répondit-elle d'une voix douce et triste, c'est bien ta Sdenka que tu avais oubliée. Pourquoi n'es-tu pas revenu plus tôt ? Tout est fini maintenant, il faut que tu partes. Un moment de plus et tu es perdu !

— Sdenka, vous avez eu bien des malheurs, m'a-t-on dit. Venez, nous causerons ensemble et cela vous soulagera.

— Partez, partez au plus vite, car si vous restez ici, votre perte est certaine.

Sdenka tressaillit, et une révolution étrange s'opéra dans toute sa personne.

— Pars, te dis-je, fuis ! Mais fuis donc tant que tu le peux !

Une sauvage énergie animait ses traits. Elle était si belle que je résolus de rester malgré elle. Cédant enfin à mes instances, elle s'assit près de moi, me parla des temps passés et m'avoua en rougissant qu'elle m'avait aimé dès le jour de mon arrivée. Cependant sa réserve d'autrefois avait fait place à un étrange laisser-aller. Son regard, naguère si timide, avait quelque chose de hardi. Dans sa manière d'être avec moi, elle était loin de la modestie qui l'avait distinguée jadis.

Je finis par m'abandonner sans réserve au penchant qui m'entraînait vers elle et j'allais joyeusement au-devant de ses agaceries. Quelque temps s'était déjà écoulé dans une douce intimité quand, en m'amusant à parer Sdenka de tous ses bijoux, je voulus lui passer au cou la petite croix en émail que j'avait trouvée sur la table. Au mouvement que je fis, Sdenka recula en tressaillant.

— Assez d'enfantillages ! Laisse là ces brimborions et parlons de toi et de tes projets !

Son trouble me donna à penser. En l'examinant avec attention, je remarquai qu'elle n'avait plus au cou, comme autrefois, une foule de petites images, de reliquaires et de sachets que les Serbes ont l'usage de porter dès leur enfance et qui ne les quittent qu'à leur mort.

— Où sont donc les images que vous aviez au cou ? lui demandai-je.

— Je les ai perdues, répondit-elle d'un air impatient et, aussitôt, elle changea de conversation.

Je ne sais quel pressentiment vague s'empara de moi. Je voulus partir, mais Sdenka me retint.

— Comment, tu as insisté pour rester et maintenant tu veux partir ?

— Je crois entendre du bruit et j'ai peur qu'on ne nous surprenne.

— Sois tranquille, mon ami, tout dort autour de nous.

— Non, non... ton frère, Sdenka, j'ai un pressentiment qu'il viendra !

— Calme-toi ! Mon frère est assoupi par le vent qui joue dans les arbres. Bien lourd est son sommeil, bien longue est la nuit et je ne te demande qu'une heure.

En disant cela, Sdenka était si belle que la vague terreur qui m'agitait commença à céder au désir de rester près d'elle. Un mélange de crainte et de volupté impossible à décrire remplissait tout mon être. À mesure que je faiblissais, Sdenka devenait plus tendre, si bien que je cédai, tout en me promettant de rester sur mes gardes. Remarquant ma réserve, Sdenka me proposa de chasser le froid de la nuit par quelques verres d'un vin généreux, j'acceptai sa proposition avec un empressement qui la fit sourire. Dès le second verre, la mauvaise impression qu'avait faite sur moi la circonstance de la croix et des images disparut. Sdenka, dans le désordre de sa toilette, avec ses beaux cheveux à demi tressés, avec ses joyaux éclairés par la lune, me parut irrésistible. Je la pressai dans mes bras. La force avec laquelle j'enlaçai mes bras autour d'elle fit entrer dans ma poitrine une des pointes de la croix que la duchesse de Gramont m'avait donnée à mon départ. La douleur aiguë que j'en éprouvai fut pour moi comme un rayon de lumière qui me traversa de part en part.

Je regardai Sdenka et je vis que ses traits, quoique toujours beaux, étaient contractés par la mort, que ses yeux ne voyaient pas et que son sourire était une convulsion imprimée par l'agonie sur la figure d'un cadavre. En même temps, je sentis dans la chambre cette odeur nauséabonde que répandent d'ordinaire les caveaux mal fermés. L'affreuse vérité se dressa devant moi dans toute sa laideur, et je me souvins trop tard des avertissements de l'ermite. Je sentis que tout dépendait de mon courage et de mon sang-froid. Je me détournai de Sdenka pour lui cacher l'horreur que mes traits devaient exprimer. Mes regards, alors, tombèrent sur la fenêtre et je vis l'infâme Gorcha, appuyé sur un pieu ensanglanté et fixant sur moi des yeux de hyène. L'autre fenêtre était occupée par la pâle figure de Georges qui avait à ce moment une ressemblance effrayante avec son père. Tous deux épiaient mes mouvements et je ne doutai pas qu'il s'élanceraient sur moi à la moindre tentative de fuite.

Je n'eus donc pas l'air de les voir, mais faisant un violent effort sur moi-même, je continuai à prodiguer mes caresses à Sdenka. Je songeais avec angoisse au moyen de m'échapper. Gorcha et Georges échangeaient avec Sdenka des regards d'intelligence et ils commençaient à s'impatienter. J'entendis aussi au-dehors une voix de femme et des cris d'enfants, mais si affreux qu'on aurait pu les prendre pour des hurlements de chats sauvages.

M'adressant à Sdenka, je lui dis à voix haute et de manière à être bien entendu de ses hideux parents :

— Je suis assez fatigué, je voudrais me coucher et dormir quelques heures, mais il faut d'abord que j'aille voir si mon cheval a mangé sa provende. Je vous prie de ne pas vous en aller et d'attendre mon retour.

J'appliquai alors mes lèvres sur ses lèvres froides et décolorées et je sortis. Je trouvai mon cheval couvert d'écume et se débattant sous le hangar. Il n'avait pas touché à l'avoine, mais le hennissement qu'il poussa en me voyant venir me donna la chair de poule. Les vampires, qui avaient probablement entendu ma conversation avec Sdenka, ne prirent pas l'alarme. Je m'assurai alors que la porte cochère était ouverte et, m'élançant en selle, j'enfonçai mes éperons dans les flancs de mon cheval.

J'eus le temps d'apercevoir, en sortant, que la troupe rassemblée auprès de la maison, et dont la plupart des individus avaient le visage collé contre les vitres, était très nombreuse. Je crois que ma brusque sortie les interdit d'abord, car pendant quelque temps je ne distinguai, dans le silence de la nuit, rien que le galop uniforme de mon cheval. Je me félicitais déjà de ma ruse, quand tout à coup derrière moi j'entendis un bruit semblable à un ouragan éclatant dans les montagnes. Mille voix confuses criaient, hurlaient et semblaient se disputer entre elles. Puis toutes se turent, comme d'un commun accord, et j'entendis un piétinement précipité, comme si une troupe de fantassins s'approchait au pas de course.

Je pressai ma monture à lui déchirer les flancs. Une fièvre ardente me faisait battre les artères et, pendant que je m'épuisais en efforts inouïs pour conserver ma présence d'esprit, j'entendis une voix derrière moi qui me criait :

— Arrête ! Arrête mon ami ! Je t'aime plus que mon âme ! Je t'aime plus que mon salut ! Arrête ! Ton sang est à moi !

En même temps, un souffle froid effleura mon oreille et je sentis Sdenka sauter en croupe.

— Mon cœur, mon âme ! me disait-elle, je ne vois que toi, je ne sens que toi, je ne suis pas maîtresse de moi-même, j'obéis à une force supérieure ! Pardonne-moi !

Et, m'enlaçant dans ses bras, elle tâcha de me renverser en arrière et de me mordre à la gorge. Une lutte terrible s'engagea entre nous. Pendant longtemps je ne me défendis qu'avec peine, mais enfin, je parvins à saisir Sdenka d'une main par sa ceinture, de l'autre par ses tresses, et me raidissant sur mes étriers, je la jetai à terre.

Aussitôt mes forces m'abandonnèrent et le délire s'empara de moi. Mille images folles et terribles me poursuivaient en grimaçant. D'abord Georges et son frère Pierre côtoyaient la route et tâchaient de me couper le chemin. Ils n'y parvenaient pas et j'allais m'en réjouir quand, en me retournant, j'aperçus le vieux Gorcha qui se servait de son pieu pour faire des bonds comme les montagnards tyroliens quand ils franchissent les abîmes. Gorcha aussi resta en arrière. Alors sa belle-fille, qui traînait ses enfants après elle, lui en jeta un qu'il reçut au bout de son pieu. S'en servant comme d'une baliste, il lança de toutes ses forces l'enfant après moi. J'évitai le coup, mais avec un véritable instinct de bouledogue, le petit crapaud s'attacha au cou de mon cheval, et j'eus de la peine à l'en arracher. L'autre enfant me fut envoyé de la même manière, mais il tomba au-delà du cheval et fut écrasé. Je ne sais ce que je vis encore, mais quand je revins à moi, il était grand jour et je me trouvais couché sur la route à côté de mon cheval expirant.

Ainsi finit une amourette qui aurait dû me guérir à jamais de l'envie d'en chercher de nouvelles.

Quoi qu'il en soit, je frémis encore à l'idée que si j'avais succombé à mes ennemis, je serais devenu vampire à mon tour. Le ciel ne le permit pas. Et loin d'avoir soif de votre sang, mesdames, je ne demande pas mieux, tout vieux que je suis, que de verser le mien pour votre service !

1850
Version abrégée

LA MORTE

*

Guy de Maupassant

Je l'avais aimée éperdument ! Pourquoi aime-t-on ?
Est-ce bizarre de ne plus voir dans le monde qu'un
être, de n'avoir plus dans l'esprit qu'une pensée, dans
le cœur qu'un désir, et dans la bouche qu'un nom :
un nom qui monte incessamment, qui monte, comme
l'eau d'une source, des profondeurs de l'âme, qui
monte aux lèvres, et qu'on dit, qu'on redit, qu'on
murmure sans cesse, partout, ainsi qu'une prière.

Je ne conterai point notre histoire. L'amour n'en
a qu'une, toujours la même. Je l'avais rencontrée et
aimée. Voilà tout. Et j'avais vécu pendant un an dans
sa tendresse, dans ses bras, dans sa caresse, dans son
regard, dans ses robes, dans sa parole, enveloppé, lié,
emprisonné dans tout ce qui venait d'elle, d'une façon
si complète que je ne savais plus s'il faisait jour ou
nuit, si j'étais mort ou vivant, sur la vieille terre ou
ailleurs.

Et voilà qu'elle mourut. Comment ? Je ne sais pas, je ne sais plus.

Elle rentra mouillée, un soir de pluie, et le lendemain, elle toussait. Elle toussa pendant une semaine environ et prit le lit.

Que s'est-il passé ? Je ne sais plus.

Des médecins venaient, écrivaient, s'en allaient. On apportait des remèdes ; une femme les lui faisait boire. Ses mains étaient chaudes, son front brûlant et humide, son regard brillant et triste. Je lui parlais, elle me répondait. Que nous sommes-nous dit ? Je ne sais plus. J'ai tout oublié, tout, tout ! Elle mourut, je me rappelle très bien son petit soupir, son petit soupir si faible, le dernier. La garde dit : « Ah ! » Je compris, je compris !

Je n'ai plus rien su. Rien. Je vis un prêtre qui prononça ce mot : « Votre maîtresse. » Il me sembla qu'il l'insultait. Puisqu'elle était morte on n'avait plus le droit de savoir cela. Je le chassai. Un autre vint qui fut très bon, très doux. Je pleurai quand il me parla d'elle.

On me consulta sur mille choses pour l'enterrement. Je ne sais plus. Je me rappelle cependant très bien le cercueil, le bruit des coups de marteau quand on la cloua dedans. Ah ! mon Dieu !

Elle fut enterrée ! enterrée ! Elle ! dans ce trou ! Quelques personnes étaient venues, des amies. Je me sauvai. Je courus. Je marchai longtemps à travers des rues. Puis je rentrai chez moi. Le lendemain je partis pour un voyage.

Hier, je suis rentré à Paris.

Quand je revis ma chambre, notre chambre, notre lit, nos meubles, toute cette maison où était resté tout ce qui reste de la vie d'un être après sa mort, je fus saisi par un retour de chagrin si violent que je faillis ouvrir la fenêtre et me jeter dans la rue. Ne pouvant plus demeurer au milieu de ces choses, de ces murs qui l'avaient enfermée, abritée, et qui devaient garder dans leurs imperceptibles fissures mille atomes d'elle, de sa chair et de son souffle, je pris mon chapeau, afin de me sauver. Tout à coup, au moment d'attein-dre la porte, je passai devant la grande glace du ves-tibule qu'elle avait fait poser là pour se voir, des pieds à la tête, chaque jour, en sortant, pour voir si toute sa toilette allait bien, était correcte et jolie, des bot-tines à la coiffure.

Et je m'arrêtai net en face de ce miroir qui l'avait souvent reflétée. Si souvent, si souvent, qu'il avait dû garder aussi son image.

J'étais là debout, frémissant, les yeux fixés sur le verre, sur le verre plat, profond, vide, mais qui l'avait contenue tout entière, possédée autant que moi, autant que mon regard passionné. Il me sembla que j'aimais cette glace – je la touchai –, elle était froide ! Oh ! le souvenir ! le souvenir ! miroir douloureux, miroir brûlant, miroir vivant, miroir horrible, qui fait souffrir toutes les tortures ! Heureux les hommes dont le cœur, comme une glace où glissent et s'effa-cent les reflets, oublie tout ce qu'il a contenu, tout ce qui a passé devant lui, tout ce qui s'est contemplé, miré dans son affection, dans son amour ! Comme je souffre !

Je sortis et, malgré moi, sans savoir, sans le vouloir, j'allai vers le cimetière. Je trouvai sa tombe toute simple, une croix de marbre, avec ces quelques mots : « Elle aima, fut aimée, et mourut. »

Elle était là, là-dessous, pourrie ! Quelle horreur ! Je sanglotais, le front sur le sol.

J'y restai longtemps, longtemps. Puis je m'aperçus que le soir venait. Alors un désir bizarre, fou, un désir d'amant désespéré s'empara de moi. Je voulus passer la nuit près d'elle, dernière nuit, à pleurer sur sa tombe. Mais on me verrait, on me chasserait. Comment faire ? Je fus rusé. Je me levai et me mis à errer dans cette ville des disparus. J'allais, j'allais. Comme elle est petite cette ville à côté de l'autre, celle où l'on vit ! Et pourtant comme ils sont plus nombreux que les vivants, ces morts. Il nous faut de hautes maisons, des rues, tant de place, pour les quatre générations qui regardent le jour en même temps, boivent l'eau des sources, le vin des vignes et mangent le pain des plaines.

Et pour toutes les générations des morts, pour toute l'échelle de l'humanité descendue jusqu'à nous, presque rien, un champ, presque rien ! La terre les reprend, l'oubli les efface. Adieu !

Au bout du cimetière habité, j'aperçus tout à coup le cimetière abandonné, celui où les vieux défunts achèvent de se mêler au sol, où les croix elles-mêmes pourrissent, où l'on mettra demain les derniers venus.

Il est plein de roses libres, de cyprès vigoureux et noirs, un jardin triste et superbe, nourri de chair humaine.

J'étais seul, bien seul. Je me blottis dans un arbre vert. Je m'y cachai tout entier, entre ces branches grasses et sombres.

Et j'attendis, cramponné au tronc comme un naufragé sur une épave.

Quand la nuit fut noire, très noire, je quittai mon refuge et me mis à marcher doucement, à pas lents, à pas sourds, sur cette terre pleine de morts.

J'errai longtemps, longtemps, longtemps. Je ne la retrouvais pas. Les bras étendus, les yeux ouverts, heurtant des tombes avec mes mains, avec mes pieds, avec mes genoux, avec ma poitrine, avec ma tête elle-même, j'allais sans la trouver. Je touchais, je palpais comme un aveugle qui cherche sa route, je palpais des pierres, des croix, des grilles de fer, des couronnes de verre, des couronnes de fleurs fanées ! Je lisais les noms avec mes doigts, en les promenant sur les lettres. Quelle nuit ! quelle nuit ! Je ne la retrouvais pas !

Pas de lune ! Quelle nuit ! J'avais peur, une peur affreuse dans ces étroits sentiers, entre deux lignes de tombes ! Des tombes ! des tombes ! des tombes ! Toujours des tombes ! À droite, à gauche, devant moi, autour de moi, partout, des tombes ! Je m'assis sur une d'elles, car je ne pouvais plus marcher tant mes genoux fléchissaient. J'entendais battre mon cœur ! Et j'entendais autre chose aussi ! Quoi ? un bruit confus innommable ! Était-ce dans ma tête affolée, dans la nuit impénétrable, ou sous la terre mystérieuse, sous la terre ensemencée de cadavres humains, ce bruit ? Je regardais autour de moi !

Combien de temps suis-je resté là ? Je ne sais pas. J'étais paralysé par la terreur, j'étais ivre d'épouvante, prêt à hurler, prêt à mourir.

Et soudain il me sembla que la dalle de marbre sur laquelle j'étais assis remuait. Certes, elle remuait, comme si on l'eût soulevée. D'un bond je me jetai sur le tombeau voisin, et je vis, oui, je vis la pierre que je venais de quitter se dresser toute droite ; et le mort apparut, un squelette nu qui, de son dos courbé, la rejetait. Je voyais, je voyais très bien, quoique la nuit fût profonde. Sur la croix je pus lire :

« Ici repose Jacques Olivant, décédé à l'âge de cinquante et un ans. Il aimait les siens, fut honnête et bon, et mourut dans la paix du Seigneur. »

Maintenant le mort aussi lisait les choses écrites sur son tombeau. Puis il ramassa une pierre dans le chemin, une petite pierre aiguë, et se mit à les gratter avec soin, ces choses. Il les effaça tout à fait, lentement, regardant de ses yeux vides la place où tout à l'heure elles étaient gravées ; et du bout de l'os qui avait été son index, il écrivit en lettres lumineuses comme ces lignes qu'on trace aux murs avec le bout d'une allumette :

« Ici repose Jacques Olivant, décédé à l'âge de cinquante et un ans. Il hâta par ses duretés la mort de son père dont il désirait hériter, il tortura sa femme, tourmenta ses enfants, trompa ses voisins, vola quand il le put et mourut misérable. »

Quand il eut achevé d'écrire, le mort immobile contempla son œuvre. Et je m'aperçus, en me retournant, que toutes les tombes étaient ouvertes, que tous les cadavres en étaient sortis, que tous avaient effacé les mensonges inscrits par les parents sur la pierre funéraire, pour y rétablir la vérité.

Et je voyais que tous avaient été les bourreaux de leurs proches, haineux, déshonnêtes, hypocrites, menteurs, fourbes, calomniateurs, envieux, qu'ils avaient volé, trompé, accompli tous les actes honteux, tous les actes abominables, ces bons pères, ces épouses fidèles, ces fils dévoués, ces jeunes filles chastes, ces commerçants probes, ces hommes et ces femmes dits irréprochables.

Ils écrivaient tous en même temps, sur le seuil de leur demeure éternelle, la cruelle, terrible et sainte vérité que tout le monde ignore ou feint d'ignorer sur la terre.

Je pensai qu'*elle* aussi avait dû la tracer sur sa tombe. Et sans peur maintenant, courant au milieu des cercueils entrouverts, au milieu des cadavres, au milieu des squelettes, j'allai vers elle, sûr que je la trouverais aussitôt.

Je la reconnus de loin, sans voir le visage enveloppé du suaire.

Et sur la croix de marbre où tout à l'heure j'avais lu : « Elle aima, fut aimée, et mourut »

j'aperçus :
« Étant sortie un jour pour tromper son amant, elle eut froid sous la pluie, et mourut. »

Il paraît qu'on me ramassa, inanimé, au jour levant, auprès d'une tombe.

1880
Texte intégral

L'INVITÉ DE DRACULA

*

Bram Stoker

Cette nouvelle était à l'origine la première partie du journal de Jonathan Harker dans le roman de Bram Stoker. Mais l'auteur l'a supprimée et elle a été publiée en dehors de l'édition originale[1].

Quand nous partîmes pour notre promenade, le soleil brillait avec éclat au-dessus de Munich et l'air s'emplissait de la joie d'un début d'été. À l'instant même de notre départ, Herr Delbrück (le maître d'hôtel des *Quatre-Saisons* où je m'étais installé) descendit, nu-tête, à la calèche, et, après m'avoir souhaité une bonne promenade, dit au cocher, tout en laissant sa main sur la poignée de la voiture :

— N'oubliez pas ! Soyez de retour à la tombée de la nuit ! Le ciel paraît bien dégagé, mais il y a un

---

1. Présentation de Sarah Cohen-Scali.

frémissement dans le vent du nord qui signifie parfois l'arrivée soudaine d'une tempête. Mais je suis sûr que vous ne rentrerez pas tard. (En disant cela, il sourit et ajouta :) Puisque vous savez de quelle nuit il s'agit.

Johann répondit par un emphatique « *Ja, mein Herr* », et, touchant son chapeau, s'élança vivement. Quand nous fûmes hors de la ville, je dis, après lui avoir fait signe de s'arrêter :

— Dites-moi, Johann, de quelle nuit s'agit-il ?

Il se signa en répondant laconiquement : « *Walpurgis Nacht !* » Et il sortit sa montre, un grand objet désuet, allemand, en argent, aussi gros qu'un navet, et se mit à la regarder, sourcils froncés, avec un petit haussement impatient des épaules. Je compris que c'était sa façon à lui de protester respectueusement contre ce retard inutile, me radossai, et d'un geste bref lui fis signe de continuer. Il repartit à vive allure comme s'il voulait rattraper le temps perdu. De temps à autre, les chevaux semblaient redresser la tête et renifler l'air avec suspicion. Alors, alarmé, je regardais autour de moi. La route était assez désolée parce que nous traversions une sorte de haut plateau balayé par le vent. Tandis que nous roulions, j'aperçus une route qui avait l'air peu fréquentée et qui semblait descendre en suivant une vallée étroite et sinueuse. Elle me parut si attirante que, même au risque de l'offenser, je criai à Johann d'arrêter la voiture, et, après qu'il eut stoppé, je lui dis que je voulais descendre par cette route. Il refusa en présentant toutes sortes de raisons et se signa à plusieurs reprises en parlant. Une telle attitude piqua quelque peu ma curiosité, et je lui posai diverses questions. Il les éluda et, plusieurs fois, regarda sa montre en signe de protestation. Je finis par dire :

— Eh bien ! Johann, je veux prendre cette route. Je ne vous demande pas de venir avec moi, à moins que vous ne le désiriez ; mais dites-moi alors pourquoi vous ne voulez pas m'accompagner, c'est tout ce que je vous demande.

En guise de réponse, il parut se jeter hors de son siège, tellement il fut vite à terre. Alors, il tendit ses mains vers moi en signe de supplication, et m'implora de ne pas prendre cette route. Il y avait tout juste assez d'anglais mélangé à l'allemand dans ses paroles pour que je puisse en comprendre à peu près le sens. Toujours, il semblait sur le point de me dire quelque chose dont l'idée même, de toute évidence, l'effrayait ; et chaque fois il s'arrêtait court, disant, tout en se signant : « *Walpurgis Nacht !* »

Je tentai de le raisonner, mais il est difficile de raisonner avec un homme quand on ne connaît pas sa langue. Il conservait un certain avantage parce que, même s'il commençait à parler dans un anglais approximatif et grossier, il s'énervait et toujours reprenait dans sa langue natale – et chaque fois, il regardait sa montre. À ce moment, les chevaux devinrent nerveux et humèrent l'air. Cela le fit pâlir et, regardant autour de lui d'une façon effrayée, il se jeta d'un saut en avant, saisit les bêtes par les brides et les conduisit une vingtaine de pas plus loin. Je le suivis et lui demandai pourquoi il avait fait cela. Il se signa en guise de réponse, désigna l'endroit que nous venions de quitter, tira la voiture dans la direction de l'autre route, montra une croix et dit d'abord en allemand puis en anglais : « L'ont enterré – celui qui se sont tués. »

Je me rappelai la vieille coutume d'enterrer les suicidés aux carrefours : « Ah ! Je vois ! Un suicide ! Comme c'est intéressant ! » Mais, quand bien même il en irait de ma vie, je ne parvenais pas à deviner pourquoi les chevaux étaient effrayés.

Tandis que nous parlions, nous perçûmes une sorte de bruit qui tenait du jappement et de l'aboiement. C'était au loin ; mais les chevaux devinrent très nerveux et il fallut à Johann un bon moment pour les calmer. Il était pâle et dit :

— On dirait un loup – mais il n'y a pas de loup par ici, en ce moment.

— Non ? dis-je en le questionnant ; n'y a-t-il pas bien longtemps que les loups ne viennent pas si près de la ville ?

— Longtemps, longtemps, répondit-il, au printemps et en été ; mais avec la neige, les loups ont été par ici, pas si longtemps.

Comme il caressait les chevaux et tentait de les calmer, des nuages sombres traversèrent rapidement l'étendue du ciel. La clarté du soleil s'évanouit et un souffle d'air froid sembla flotter autour de nous. Mais ce n'était qu'un souffle, et plus un avertissement que la réalité parce que le soleil perça à nouveau. Sous sa main en visière tendue vers l'horizon, Johann scruta le ciel et dit :

— La tempête de neige, il viendra avant long-temps.

Puis il regarda de nouveau son gousset et aussitôt tint fermement les rênes, les chevaux continuant tou-jours nerveusement de piaffer et de secouer leur tête ; et il remonta sur son siège comme si c'était le moment de poursuivre notre voyage.

Un peu obstiné, je ne voulus pas monter tout de suite dans la voiture.

— Dites-moi quelque chose, ajoutai-je, sur cet endroit où conduit cette route, et je pointai un doigt dans la direction de la vallée.

Il se signa une nouvelle fois et murmura une prière avant de répondre :

— C'est impie.

— Qu'est-ce qui est impie ? le questionnai-je.

— Le village.

— Alors, il y a un village ?

— Non, non. Personne n'y vit des centaines d'années.

Ma curiosité fut piquée :

— Mais vous avez dit qu'il y a un village ?

— Il y avait.

— Où est-il, maintenant ?

Alors, il se lança dans une longue histoire en alle-mand et en anglais, les deux langues tellement entremêlées que je ne parvins pas à comprendre exactement ce qu'il disait, mais je saisis plus ou moins que, il y a longtemps, des centaines d'années auparavant, des hommes étaient morts là-bas et avaient été enterrés dans des tombes ; et on avait entendu des bruits sous l'argile, et quand les tombes furent ouvertes, des hommes et des femmes furent trouvés le visage rose de vie, et leurs bouches rouges de sang. Et alors, dans la hâte de sauver leur vie (oui ! et leur âme ! – et alors, il se signa), les villageois qui étaient restés au village s'enfuirent vers d'autres lieux où les vivants vivaient et les morts étaient morts et pas... pas quelque chose d'autre. Il avait évidemment peur de prononcer ces dernières paroles. À mesure qu'il avançait dans son récit, la frayeur le gagnait. On aurait dit que son imagination le prenait sous son emprise et il acheva dans un total accès de terreur – le visage blême, trempé de sueur, tremblant et regardant autour de lui comme s'il s'attendait qu'une quelconque présence terrifiante se manifestât là, dans l'éclat de la lumière brillant sur l'étendue de la plaine. Enfin, dans un accès de désespoir, il cria : « *Walpurgis Nacht !* » et il désigna la calèche dans laquelle je devais monter.

Tout mon sang anglais ne fit alors qu'un tour, et, demeurant en retrait, je lui dis :

— Vous avez peur, Johann, vous avez peur. Retournez chez vous, je rentrerai seul ; la marche me fera du bien.

La portière de la calèche était ouverte. Je pris sur le siège ma canne en chêne que j'emporte toujours dans mes excursions de vacances, fermai la portière, montrai Munich derrière nous, et dis :

— Rentrez chez vous, Johann, *Walpurgis Nacht* ne concerne pas les Anglais.

Les chevaux étaient maintenant plus nerveux que jamais, et Johann tentait de les retenir, tout en m'implorant nerveusement de ne pas faire une pareille folie. J'avais pitié du pauvre homme, il était si profondément sincère ; mais en même temps, je ne pouvais m'empêcher de rire. Il n'utilisait plus maintenant un seul mot d'anglais. Dans son anxiété, il avait oublié que le seul moyen de se faire comprendre était d'utiliser ma langue, mais il continuait à baragouiner son allemand natal. Cela commençait à être un peu ennuyeux. Après lui avoir indiqué la direction : « À la maison ! », je me retournai pour prendre la route partant du carrefour vers la vallée.

Johann, avec un geste désespéré, fit faire demi-tour à ses chevaux dans la direction de Munich. Je m'appuyai sur ma canne et le regardai partir. Pendant un moment, il avança lentement sur la route ; alors apparut sur la crête de la colline un homme grand et mince. C'est au moins ce que je pus voir, en dépit de la distance. Quand l'homme fut près des chevaux, ceux-ci commencèrent à sursauter et à ruer, puis à hennir de terreur. Johann ne put les maîtriser ; ils s'élancèrent et dévalèrent la route dans une course folle. Je les suivis du regard jusqu'à ce que je les eusse perdus de vue, puis cherchai des yeux l'étranger, mais je me rendis compte que lui aussi avait disparu.

Le cœur léger, je me retournai pour suivre l'autre route qui descendait en s'enfonçant à travers la vallée, et que Johann n'avait pas voulu emprunter. Je ne voyais nulle raison qui pût justifier son refus de m'accompagner ; et je dus marcher pendant environ deux heures sans songer ni au temps qui passait ni à la distance, et certainement sans voir ni personne ni maison. Pour ce qui était de l'endroit, c'était la désolation même. Mais je ne fis pas particulièrement attention à cela jusqu'au moment où, suivant un virage de la route, j'aboutis à la lisière d'un bois clairsemé ; alors, je m'aperçus que, bien que je n'en eusse pas eu conscience, j'avais été impressionné par l'aspect désolé de la région par laquelle je venais de passer.

Je m'assis pour me reposer, et commençai à regarder aux alentours. Je fus frappé par le fait qu'il faisait bien plus froid qu'au début de ma promenade – une sorte de léger bruit comme un soupir semblait m'entourer, accompagné, plus en hauteur, d'une sorte de grondement assourdi. Levant la tête, je vis que de gros nuages épais traversaient avec rapidité le ciel du nord vers le sud, à grande altitude. Dans le ciel, à une certaine hauteur, se montraient les signes annonciateurs d'une tempête qui s'approchait. J'avais un peu froid et, pensant que c'était le fait de rester assis après l'exercice de la marche, je repris ma route.

Le paysage que j'étais en train de traverser maintenant était beaucoup plus pittoresque. Il n'y avait rien de particulier qui pût frapper l'œil ; mais dans l'ensemble il y avait le charme de la beauté. Je faisais quelque peu attention à l'heure et ce fut seulement lorsque le crépuscule tomba que je m'inquiétai et commençai à réfléchir comment je pourrais retrouver mon chemin pour le retour. La lumière du jour était tombée, l'air était froid et le passage des nuages à grande altitude s'accentuait. Ils étaient accompagnés d'une sorte de bruit lointain et précipité, à travers lequel semblait venir, par intervalles, ce cri mystérieux que le cocher avait dit être celui d'un loup. Un instant, j'hésitai. Mais j'avais dit que j'irais voir le village abandonné, aussi je continuai et peu après je débouchai sur une large étendue de terre nue et encerclée de collines. Les flancs de celles-ci étaient couverts d'arbres qui descendaient jusqu'à la plaine, formant des bosquets sur les déclinaisons et les dépressions plus douces qui se montraient ici et là. Je suivis du regard la route en lacet et vis qu'elle décrivait un virage près de l'un des bosquets les plus épais, pour se perdre derrière lui.

Tandis que je regardais, l'air s'emplit d'un frémissement froid et la neige commença à tomber. Je songeai aux kilomètres et aux kilomètres de paysage désert que j'avais déjà parcourus, aussi je hâtai le pas pour me mettre à l'abri sous le bois qui était devant moi. Le ciel devenait de plus en plus sombre ; et de plus en plus rapide et de plus en plus épaisse tombait la neige, la terre, devant et autour de moi, finissant par devenir un blanc tapis étincelant dont le bord le plus éloigné se perdait dans une indistincte uniformité. On ne voyait presque plus la route, surtout quand, sur la terre plate, ses limites n'étaient pas marquées comme elles l'étaient lorsque la route devenait une voie encaissée, et après un certain temps je me rendis compte que je devais l'avoir quittée parce que sous mes pieds je ne sentais pas sa surface dure, ceux-ci s'enfonçant plus profondément dans l'herbe et la mousse. Le vent, alors, devint de plus en plus insistant, et se mit à souffler avec une force de plus en plus grande, si bien que je dus courir devant lui. L'air devint glacial et, en dépit de mon exercice, je commençai à souffrir. La neige tombait maintenant avec une telle épaisseur et tourbillonnait autour de moi en remous si rapides que je pouvais difficilement garder les yeux ouverts. Par moments, le ciel était déchiré par un éclair fulgurant et, au milieu des éclairs, je pouvais voir devant moi une grande masse d'arbres, pour la plupart des ifs et des cyprès, tous lourdement enrobés de neige.

Je fus bientôt à l'abri sous les arbres, et là, dans un silence relatif, je pus entendre l'impétuosité du vent bien au-dessus de moi. Bientôt, l'obscurité de la tempête se fondit dans les ténèbres de la nuit. La tempête parut s'éloigner après un certain temps : maintenant, elle ne soufflait que par bouffées ou en explosions féroces. En de tels moments, le cri surnaturel du loup semblait trouver un écho dans divers bruits similaires, autour de moi.

De temps en temps, à travers la masse noire des nuages flottants, perçait un rayon égaré du clair de

lune qui éclairait la plaine et me montrait que j'étais
à la lisière de la masse dense des cyprès et du bois
d'ifs. Comme la neige avait cessé de tomber, je sortis
de mon abri et commençai à regarder avec une plus
grande attention. Il me sembla que parmi les nombreuses fondations anciennes que j'avais dépassées,
une maison pouvait être encore debout, dans laquelle,
bien qu'en ruine, je pourrais trouver, un temps, un
semblant d'abri. En faisant le tour du bosquet, je
découvris qu'un mur bas l'encerclait, et, le contour-
nant, je découvris bientôt une ouverture. À cet
endroit, les cyprès formaient une allée qui conduisait
jusqu'à la masse carrée d'une sorte d'édifice. Mais
juste au moment où je m'en rendis compte, les nuages
qui passaient obscurcirent la lune et c'est dans l'obscurité que je suivis le sentier. Le vent avait dû fraîchir
tant je me sentis frissonner en marchant ; mais, mû
par l'espoir de trouver un abri, je continuai aveuglé-
ment mon chemin en tâtonnant.

Je m'arrêtai à la faveur d'une accalmie soudaine.
La tempête était tombée, et s'accordant peut-être
avec le silence de la nature, mon cœur sembla cesser
de battre. Mais pour un instant seulement parce que,
brusquement, le clair de lune perça les nuages, me
permettant de voir que j'étais dans un cimetière, et
de me rendre compte que la bâtisse carrée devant
moi était un énorme caveau massif en marbre, aussi
blanc que la neige qui le couvrait et l'entourait.
Accompagnant le clair de lune, la tempête souffla
avec un gémissement féroce, semblant reprendre sa

course dans un hurlement long et bas, comme font souvent les chiens et les loups. J'étais tremblant et effrayé et sentis le froid me transpercer imperceptiblement jusqu'à ce qu'il me parût qu'il m'étreignait le cœur. Alors, comme la lumière de la lune éclairait toujours le caveau de marbre, la tempête donna des signes de renouveau, comme si elle revenait sur ses traces. Attiré par une sorte de fascination, je m'approchai de la sépulture pour savoir ce qu'elle était et pourquoi une telle bâtisse se trouvait isolée dans un tel endroit. J'en fis le tour et lus, au-dessus du portail dorique, l'inscription en allemand :

Comtesse Dolingen de Gratz
En Styrie
Chercha et trouva la mort
1801

Sur la dalle du caveau, apparemment enfoncé dans le marbre solide – le couvercle se composant de quelques grands blocs de pierre –, se dressait un grand pieu de fer, ou une broche. Me rendant vers la partie arrière du caveau, je vis, gravé en grandes lettres cyrilliques :

Les morts voyagent vite.

Il y avait quelque chose de si étrange et de si bizarre dans tout cela que je me sentis troublé et presque sur le point de défaillir. Pour la première fois, je com-

112

mençai à regretter de ne pas avoir suivi le conseil de Johann. À cet instant, dans des circonstances presque mystérieuses, et avec un choc affreux, une pensée me frappa. C'était la Nuit de Walpurgis !

La Nuit de Walpurgis, au cours de laquelle, selon la croyance populaire, le diable se promenait quand les tombes étaient ouvertes et que les morts sortaient et erraient. Quand toutes les choses malfaisantes de la terre et de l'air et de l'eau faisaient fête. C'était cet endroit même que le cocher avait précisément évité. Ce village était celui qui était dépeuplé depuis des siècles. C'était l'endroit où le suicidé reposait ; et cet endroit était l'endroit où j'étais seul, sans compagnie, frissonnant de froid dans un linceul de neige et avec la tempête sauvage qui de nouveau se formait autour de moi ! Il me fallut toute ma philosophie, toute la religion que l'on m'avait enseignée, tout mon courage pour ne pas m'effondrer sous le poids d'une terrible frayeur.

Et en cet instant une vraie tornade éclata sur moi. Le sol trembla comme si des milliers de chevaux grondaient sur lui ; mais cette fois, la tempête portait sur ses ailes glacées non pas la neige, mais d'énormes grêlons qui couraient avec une telle violence qu'ils auraient pu venir des lanières des lanceurs de pierres des Baléares – grêlons qui s'abattirent sur les feuilles et les branches, et qui rendirent l'abri des cyprès aussi peu utile que si leurs branches étaient des épis de blé. D'abord, je me précipitai vers l'arbre le plus proche ; mais je fus bientôt obligé de le quitter, et cherchai l'abri du seul endroit qui semblait offrir un refuge, le profond portail dorique du caveau de marbre. Là, accroupi contre la porte massive de bronze, je profitai d'une relative protection contre la pluie de grêlons, parce que, maintenant, ils ne m'atteignaient qu'en ricochant contre le sol et les parois de marbre.

Comme je m'appuyais contre le portail, celui-ci bougea légèrement et s'ouvrit vers l'intérieur. L'abri, même d'une tombe, était bienvenu dans cette tempête impitoyable et j'étais sur le point d'y entrer quand vint un éclair en zigzag qui illumina l'étendue entière du ciel. En cet instant, je vis, foi d'homme vivant, mes yeux étant tournés vers la masse sombre de la tombe, une femme magnifique aux joues rondes et aux lèvres rouges, et reposant, apparemment endormie, sur un catafalque. Alors que le tonnerre éclatait au-dessus du tombeau, je fus agrippé comme par une main de géant, et jeté à l'extérieur dans la tempête. Tout cela fut si rapide que, avant même que je pusse me rendre compte du choc autant physique que moral, je sentis les grêlons s'abattre sur moi. Au même moment, j'eus le sentiment étrange et persistant que je n'étais pas seul. Je regardai dans la direction de la tombe. Juste alors jaillit un autre éclair aveuglant qui sembla frapper le pieu en fer surmontant le caveau, et traverser la terre en faisant éclater et s'effriter le marbre comme sous l'effet du jaillissement d'une flamme. La femme morte se redressa dans un moment d'agonie, pendant lequel elle fut léchée par la flamme, et le cri douloureux de souffrance qu'elle jeta fut couvert par le coup de tonnerre. La dernière chose que j'entendis fut ce mélange de bruits affreux, alors que, de nouveau, j'étais saisi par l'étreinte gigantesque et tiré vers l'extérieur, tandis que des grêlons s'abattaient sur moi et que l'air, autour de moi, semblait répercuter le hurlement des loups. La dernière chose que je me rappelai avoir vue fut une masse mouvante, vague et blanche, comme si toutes les tombes autour de moi avaient rejeté les fantômes de leurs morts drapés dans leurs linceuls, et que ceux-ci étaient en train de m'encercler dans la nuée blanche des grêlons qui s'abattaient.

Peu à peu survint en moi une sorte de vague début de conscience ; puis se produisit un sentiment pénible de grande fatigue. Pendant un moment, je ne me souvins de rien ; mais je retrouvai lentement mes sens. Mes pieds semblaient transis de douleur, mais je n'arrivais pas à les faire bouger. Ils semblaient sans vie. Je ressentais une sensation glaciale derrière le cou et tout le long de l'échine, et mes oreilles comme mes pieds étaient sans vie, mais cependant provoquaient une grande douleur ; mais dans ma poitrine, il y avait une sensation de chaleur qui, en comparaison, était délicieuse. C'était comme un cauchemar – un cauchemar physique, si l'on peut employer une telle expression –, parce qu'une sorte de lourd poids sur ma poitrine rendait ma respiration difficile.

Cette période de semi-léthargie me parut durer un bon moment et, quand elle disparut, je dus m'endormir ou m'évanouir. Puis, une sorte de dégoût me saisit, comme le premier signe du mal de mer, et le désir fou d'être libéré de quelque chose – je ne savais pas de quoi. Un grand calme m'enveloppa, comme si le monde entier était endormi ou mort, troublé seulement par le halètement sourd de quelque animal près de moi. Je sentis sur ma gorge un contact râpeux et chaud, puis, soudain, j'eus conscience de l'affreuse vérité qui me glaça jusqu'au cœur et propulsa mon sang jusqu'à mon cerveau. Quelque grand animal était allongé sur moi maintenant et me léchait la gorge. Je craignais de bouger, une sorte d'instinct de prudence me disant de rester tranquille ; mais la brute semblait se rendre compte qu'il y avait quelque changement en moi parce qu'elle souleva la tête. À travers mes cils, je vis au-dessus de moi les deux grands yeux étincelants d'un gigantesque loup. Ses dents aiguisées et blanches luisaient dans sa bouche rouge et béante, et je pus sentir sur moi la chaleur de son souffle féroce et aigre.

Je ne me souvins de rien pendant le laps de temps qui suivit. Puis j'eus conscience d'un grognement sourd, suivi d'un glapissement, répété une fois, puis une fois encore. Alors, venu apparemment de très loin, j'entendis un « Holà ! Holà ! » partant de voix appelant à l'unisson. Je redressai la tête avec précaution et regardai dans la direction d'où venait le bruit, mais le cimetière me bouchait la vue. Le loup continuait de glapir d'une façon étrange, et une lumière rouge commença à se déplacer autour du bosquet de cyprès comme si elle était guidée par le bruit. Quand les voix se rapprochèrent, le loup glapit plus vite et plus fort. Je craignais de faire du bruit ou un geste. La lumière rouge se rapprochait de plus en plus au-dessus du linceul blanc, qui s'étendait jusque dans l'obscurité autour de moi. Puis, tout à coup, de derrière les arbres, surgit au trot une compagnie de cavaliers portant des torches. Le loup se leva de ma poitrine et partit vers le cimetière. Je vis l'un des cavaliers (des soldats, à en juger d'après leurs bonnets et leurs longues capes militaires) lever sa carabine et viser. L'un de ses compagnons fit dévier son bras en l'air, et j'entendis la balle siffler au-dessus de ma tête. Le premier soldat avait évidemment pris mon corps pour celui d'un loup. Un troisième soldat aperçut l'animal alors que celui-ci se faufilait, et un coup partit. Alors, la troupe s'élança au galop, un certain nombre de cavaliers dans ma direction, d'autres vers le loup, qui était en train de disparaître parmi les cyprès habillés de neige.

J'essayai de bouger, tandis qu'ils s'approchaient, mais j'étais sans force, bien que je pusse voir et entendre tout ce qui se passait autour de moi. Deux ou trois soldats sautèrent à terre et s'agenouillèrent près de moi. L'un d'eux souleva ma tête et plaça une main sur mon cœur.

— Bonne nouvelle, camarades ! cria-t-il, son cœur bat toujours !

Du cognac fut versé dans ma gorge ; celui-ci me ragaillardit et je pus ouvrir complètement les yeux et regarder autour de moi. Des lumières et des ombres se déplaçaient entre les arbres et j'entendis les hommes s'interpeller. Ils se rassemblèrent en poussant des exclamations apeurées ; et les lumières fusaient tandis que d'autres soldats se jetaient hors du cimetière, pêle-mêle, comme des possédés. Quand les soldats les plus éloignés s'approchèrent de nous, ceux qui s'étaient rassemblés autour de moi demandèrent avec empressement :

— Alors ? Vous l'avez trouvé ?

La réponse fusa précipitamment :

— Non, non ! Partons vite ! Vite ! On ne peut pas rester dans un endroit pareil, et surtout pas cette nuit !

— Qu'est-ce que c'était ? (La question fut posée sur tous les tons.)

Les réponses étaient différentes, et toutes étaient vagues, comme si les hommes avaient envie, d'une façon générale, de parler, mais que tous étaient retenus par une sorte de peur commune de faire connaître leurs pensées.

— C'est... C'est... Bien sûr ! balbutia l'un des hommes dont la raison venait visiblement de céder.

— Un loup ! Non, pas encore un loup ! ajouta un autre en tremblant.

— Inutile d'essayer de l'avoir sans la balle sacrée, remarqua d'une façon plus naturelle un troisième.

— Ce ne serait que mérité, en sortant par une nuit pareille ! Vraiment, on les a gagnés, nos mille marks ! s'exclama un quatrième.

— Il y avait du sang sur le marbre fissuré, dit un autre soldat, après un instant. Ce n'est pas la foudre qui l'a apporté là-bas. Et lui ? Il est hors de danger ? Regardez sa gorge ! Voyez, camarades ! Le loup était allongé sur lui et a tenu son sang au chaud !

L'officier regarda ma gorge et dit :

— Ça va ; la peau n'est pas transpercée. Que signifie tout ceci ? On ne l'aurait jamais trouvé sans les glapissements du loup !

— Qu'est-il devenu ? demanda l'homme qui me tenait la tête et qui semblait le moins gagné par la panique parce que ses mains étaient fermes et ne tremblaient pas.

Sur sa manche était cousu le chevron de second maître.

— Il est rentré chez lui, répondit l'homme dont le long visage était blême, et qui, en effet, tremblait de peur tandis qu'il jetait des coups d'œil craintifs autour de lui. Il y a assez de tombes, là-bas, où il pourrait se coucher. Venez, camarades, venez vite ! Quittons cet endroit damné !

L'officier me releva et me mit en position assise tout en lançant un ordre ; puis plusieurs hommes me placèrent sur un cheval. L'officier sauta sur la selle derrière moi, me prit dans ses bras et jeta l'ordre d'avancer ; et, détournant nos yeux des cyprès, nous partîmes d'un pas rapide et en ordre militaire.

Jusqu'à présent, ma langue refusait toute fonction, et j'étais de ce fait silencieux. Je dus m'endormir parce que la première chose dont je me souvins, ce fut d'être debout, soutenu de chaque côté par un soldat. Il faisait presque jour, et au nord, un rayon rouge du soleil était reflété comme un sentier de sang sur la plaine de neige. L'officier était en train de dire à ses hommes de ne rien raconter de ce qu'ils avaient vu, mis à part qu'ils avaient trouvé un étranger anglais gardé par un gros chien.

— ... Chien ! Ce n'était pas un chien ! coupa l'homme qui avait montré tant de frayeur. Je sais reconnaître un loup quand j'en vois un !

Le jeune officier répondit calmement :

— J'ai dit un chien.

— Un chien ! réitéra l'autre, ironiquement. (Il était clair que son courage augmentait avec le lever du soleil et, me désignant du doigt, il dit :) Regardez sa gorge. C'est ça le travail d'un chien, capitaine ?

Je portai instinctivement la main à ma gorge et, en la touchant, je criai de douleur. Les hommes se pressèrent autour de moi pour regarder, quelques-uns s'inclinant sur leur selle ; et de nouveau, la voix calme du jeune officier s'éleva :

— Un chien ! comme je viens de le dire ! Si l'on racontait quelque chose d'autre, on se moquerait de nous !

On me fit monter derrière un homme de la troupe, et nous continuâmes jusqu'aux faubourgs de Munich. Là, nous tombâmes sur une calèche inutilisée, dans laquelle on me plaça, et que l'on conduisit jusqu'aux *Quatre-Saisons*, le jeune officier m'accompagnant tandis qu'un soldat suivait avec son cheval et que les autres partaient pour leur caserne.

Quand nous fûmes arrivés, Herr Delbrück se précipita si rapidement en bas du perron pour m'accueillir qu'il était évident qu'il s'était posté derrière une fenêtre pour attendre mon arrivée. Me prenant avec sollicitude par les deux mains, il me conduisit à l'intérieur de l'auberge. L'officier me salua, et quand je me rendis compte qu'il faisait demi-tour pour s'en aller, je le priai avec insistance de monter dans mon appartement. Devant un verre de vin, je le remerciai chaudement, lui et ses courageux camarades, pour m'avoir sauvé la vie. Il me répondit simplement qu'il était plus qu'heureux, et que Herr Delbrück avait pris, dès le début, toutes les mesures pour faciliter la tâche de tous les soldats partis à ma recherche ; le maître d'hôtel sourit à ces mots ambigus, et l'officier s'excusa de devoir partir pour son service, et il se retira.

— Mais, Herr Delbrück, m'enquis-je, comment et pourquoi se fait-il que les soldats soient partis à ma recherche ?

Il haussa les épaules comme s'il voulait déprécier la portée de son acte, tout en répondant :

— J'ai eu la chance d'obtenir la permission, du commandant du régiment où j'ai servi, de demander des volontaires.

— Mais comment saviez-vous que j'étais perdu ? demandai-je.

— Le cocher est arrivé ici avec les débris de sa calèche qui s'est retournée quand les chevaux se sont enfuis.

— Mais vous n'auriez sûrement pas envoyé une troupe de soldats à ma recherche simplement pour cette raison ?

— Oh ! Non ! répondit-il. Mais avant même l'arrivée du cocher, j'ai reçu ce télégramme du boyard dont vous êtes l'invité.

Il prit dans sa poche un télégramme qu'il me tendit, et je lus :

Bistritz

Prenez soin de mon invité – sa sécurité m'est très précieuse. Si quelque chose lui arrive, ou s'il disparaît, n'épargnez rien pour le retrouver et pour assurer sa sécurité. C'est un Anglais, il est donc aventureux. La neige et les loups font souvent courir des dangers la nuit. Ne perdez pas une minute si vous croyez qu'il est en danger. Je réponds à votre zèle par ma fortune.

Dracula

Tandis que j'avais le télégramme dans ma main, la pièce parut tournoyer autour de moi ; et si le maître d'hôtel attentif ne m'avait pas retenu, je crois que je serais tombé. Il y avait quelque chose de si étrange dans tout cela, quelque chose de si bizarre et si impossible à imaginer, que se mit à croître en moi le sentiment d'être, d'une façon indéfinissable, l'objet de forces opposées – dont l'idée, même vague, semblait être en train de me paralyser. J'étais sûrement sous quelque forme de mystérieuse protection. D'un pays lointain était arrivé, juste au moment où il le fallait, un message qui m'avait sorti du piège du sommeil de la ncigc, et des mâchoires de la gueule du loup.

1897

Titre original · Dracula's Guest
Traduit de l'anglais par Jean-Pierre Krémer
© U.G.E. 10/18, 1992 pour la traduction française

L'HOMME DU SECOND

*

Ray Bradbury

Il se rappelait avec quel soin et quelle adresse grand-mère manipulait les boyaux froids des poulets et en retirait des merveilles ; les boucles humides et luisantes des intestins à odeur de viande, le petit bloc musclé du cœur, le gésier et la collection de grains qu'il contenait. Qu'elle faisait donc cela proprement et gentiment, Grandma, qu'elle fendait bien le poulet, pour le priver de ses richesses, qui seraient séparées selon une ségrégation rigoureuse – quelques-unes mises dans un poêlon d'eau, d'autres dans un morceau de papier pour être plus tard jetées au chien, peut-être ! Et puis venait le rituel de taxidermie, l'oiseau était farci avec du pain trempé assaisonné, et enfin la chirurgie, avec une aiguille rapide et brillante – point après point étroitement serrés.

Tout cela constituait l'un des principaux frissons des onze années d'existence de Douglas.

125

En tout il comptait vingt couteaux dans les tiroirs divers, mais tous crissants, de la magique table de cuisine d'où Grandma, une bonne vieille sorcière aux cheveux blancs, au doux visage, extrayait l'outillage nécessaire à l'accomplissement de ses miracles.

Il fallait que Douglas se tienne tranquille. Il pouvait rester en face de grand-mère, de l'autre côté de la table, son nez semé de taches de rousseur retroussé contre le bord, mais tout bavardage incohérent de gamin était interdit ; comme risquant de nuire au charme. C'était épatant quand Grandma brandissait des salières d'argent – probablement remplies de poussière de momie et d'os pulvérisés d'Indiens –, dont elle était censée généreusement saupoudrer l'oiseau, tandis que la bouche édentée murmurait à mi-voix des vers mystiques.

— Grammy, finit par dire Douglas, rompant le silence. Est-ce que je suis comme ça à l'intérieur ? (Il montrait le poulet.)

— Oui, dit Grandma. Un peu plus ordonné peut-être et plus présentable. Sinon, à peu près pareil.

— Et aussi, y en a plus, dit Douglas, qui n'en était pas peu fier.

— Oui, dit Grandma. Il y en a plus.

— Grandpa en a beaucoup plus que moi. Il déborde par-devant au point de pouvoir appuyer ses coudes dessus.

Grandma rit et hocha la tête.

Douglas reprit :

— Et Lucie Williams, plus bas dans la rue, elle...

— Chut ! tais-toi, enfant, cria Grandma.

126

— Mais elle a...

— T'inquiète pas de ce qu'elle a. Elle, c'est différent !

— Mais pourquoi est-elle différente ?

— Un de ces jours, la libellule du diable viendra te coudre la bouche, dit fermement Grandma.

Douglas attendit. Puis questionna :

— Comment tu sais que j'ai des intérieurs comme ceux-là, Grammy ?

— Oh ! va-t'en ! sauve-toi maintenant.

La sonnette d'entrée tinta.

Douglas, qui courait le long du couloir, vit – par la porte vitrée de l'entrée – un chapeau de paille. La sonnette tinta de nouveau et puis encore. Douglas ouvrit la porte.

— Bonjour, enfant. Madame la propriétaire est-elle à la maison ?

Des yeux gris et froids dans un long visage de noyer ciré regardaient Douglas. L'homme était grand, maigre, portait une valise, une serviette, un parapluie sous le bras, des gants gris, moelleux, épais sur ses doigts osseux et un chapeau de paille horriblement neuf.

— Elle est occupée.

— Je désire louer la chambre du second, d'après son annonce.

Douglas renâcla :

— Nous avons dix pensionnaires et elle est déjà louée. Allez-vous-en !

— Douglas !

Grand-mère se trouvait subitement derrière lui.

— Comment allez-vous ? fit-elle, s'adressant à l'étranger. Ne vous occupez pas de cet enfant.

Sans sourire, l'homme entra. Très raide, Douglas le regarda monter et disparaître à sa vue vers le haut des marches, entendit Grandma détailler les avantages de la chambre du haut. Bientôt, elle redescendit, empila sur les bras de Douglas du linge qu'elle venait de tirer de l'armoire et renvoya Douglas le porter bon train à l'étage.

Le gamin s'arrêta sur le seuil. La chambre était curieusement changée, simplement parce que l'étranger venait d'y passer un moment. Le chapeau de paille, fragile et terrible, était sur le lit. Le parapluie était appuyé, raide, contre un mur, pareil à une chauve-souris morte, avec de noires ailes moites repliées.

Douglas cligna de l'œil devant ce parapluie.

L'étranger était debout, au milieu de la chambre transformée, grand, tellement grand.

— Voilà !

Douglas éparpilla sa charge sur le lit.

— Nous mangeons à midi juste et si vous descendez en retard la soupe sera froide. Grandma y veille chaque fois.

L'homme grand et bizarre compta dix sous de cuivre et les fit couler dans la poche de la blouse de Douglas, où ils tintèrent.

— Nous serons amis, dit-il sévèrement.

C'était rigolo, cet homme qui n'avait que des sous. Mais un tas. Pas d'argent du tout. Pas de quarts de dollar ni de décimes. Rien que des sous de cuivre tout neufs.

Douglas lui adressa un remerciement mélancolique.

— Quand je les aurai fait changer pour une pièce de dix sous, je la mettrai dans ma tirelire. J'ai déjà dix dollars cinquante, le tout en pièces d'argent de dix sous, pour mes vacances en camp, au mois d'août.

— Maintenant, il faut que j'aille me laver, dit l'homme.

Il était arrivé une fois, à minuit, que Douglas s'était réveillé pour entendre une tempête qui grondait au-dehors, le vent dur et froid qui secouait la maison, la pluie qui battait la fenêtre. Puis un éclair avait atterri devant la fenêtre, en un choc silencieux et terrifiant. Il se souvenait de la peur qu'il avait eue en regardant tout le tour de sa chambre, en la trouvant étrange et effrayante dans la lumière instantanée.

C'était ainsi, en ce moment, dans cette chambre-ci. L'enfant restait là ; considérant l'étranger, et puis la chambre qui n'était plus la même, mais indéfinissablement transformée parce que cet homme, aussi prompt que l'éclair, y avait répandu sa lumière. Douglas recula pas à pas, lentement, tandis que l'étranger avançait.

La porte lui claqua au visage.

La fourchette de bois s'éleva, avec la purée de pommes de terre, redescendit vite. M. Koberman, car tel était son nom, avait apporté avec lui son couvert de bois – fourchette, cuiller et couteau –, quand Grandma avait appelé pour le lunch.

— Mme Spaulding, avait-il dit tranquillement, mon couvert personnel ; veuillez l'utiliser. Je déjeunerai aujourd'hui, mais à partir de demain, le petit déjeuner et le souper seulement.

Grandma s'activait, entrait et sortait, apportant soupières et légumiers fumants, pleins de soupe, de fèves, de purée de pommes de terre, pour impressionner son nouveau pensionnaire, tandis que Douglas s'amusait à faire du bruit avec son argenterie contre son assiette, parce qu'il s'était aperçu que cela agaçait M. Koberman.

— Moi, je connais un tour, dit Douglas, Regardez.
Il grattait de l'ongle une dent de sa fourchette qu'il pointait dans diverses directions autour de la table, avec des airs de magicien. Partout où il pointait, le son de la dent de fourchette qui vibrait émergeait, comme une métallique voix de lutin. Facile à faire, bien sûr : il pressait sans en avoir l'air le manche de la fourchette contre le bois de la table, qui transportait la vibration comme une table d'harmonie. Cela donnait vraiment l'impression d'un tour magique.

— Là, là !... et *là* !..., s'exclama joyeusement Douglas en tirant à chaque fois sur la pointe de la fourchette. Il la dirigea, avec le bruit qui en provenait, vers la soupe de M. Koberman.

Le visage couleur de noyer de M. Koberman devint dur et ferme et terrible. Il repoussa violemment son bol de soupe, ses lèvres se tordaient, il se laissa aller en arrière sur sa chaise.

Grammy parut :

— Qu'est-ce qui ne va pas, monsieur Koberman ?

— Je ne peux pas manger cette soupe.

— Parce que ?

— Parce que je suis rempli et n'en puis absorber davantage. Merci.

Il quitta la pièce, la figure courroucée, l'œil chargé de colère.

— Qu'est-ce que tu viens encore de faire, Douglas ? s'informa sèchement Grandma.

— Rien, Grandma. Grandma, pourquoi mange-t-il avec un couvert de bois ?

— Tu n'es pas là pour questionner. D'ailleurs, quand retournes-tu à l'école ?

— Sept semaines.

— Bonté divine ! dit Grandma.

M. Koberman travaillait la nuit. Chaque matin, il rentrait mystérieusement, dévorait un très petit déjeuner, puis dormait sans bruit dans sa chambre pendant toute la rêveuse chaleur du jour, jusqu'au solide souper avec tous les autres pensionnaires, le soir.

Les habitudes de sommeil de M. Koberman obligeaient Douglas à se tenir tranquille. Ce qui était insupportable. Aussi, dès que Grandma s'en allait en visite ou en course au bout de la rue, Douglas cavalait du haut en bas des escaliers, battait le tambour, lançait des balles de golf ou, tout simplement, braillait pendant trois minutes de façon ininterrompue devant la porte de M. Koberman, ou encore tirait l'eau de la toilette sept fois de suite.

M. Koberman ne se manifestait jamais. La chambre était silencieuse et sombre. Il ne se plaignait pas. Il n'émettait aucun son. Il dormait et dormait, à travers tout et malgré tout. C'était très étrange.

Douglas sentait brûler en lui, claire, d'une beauté sans un vacillement, la pure et blanche flamme de la haine. Cette chambre était aujourd'hui Terre Koberman. Naguère, elle avait été fleurie, brillante et joyeuse quand Mlle Sadlowe l'habitait. À présent, elle était roide, nue, froide, propre, tout y était à sa place, tout y semblait étranger et fragile.

C'était le quatrième matin. Douglas grimpa l'escalier.

À mi-route, entre le premier et le second étage, il y avait une grande fenêtre, encadrée de carreaux de verre orange, pourpre, bleu, rouge et couleur de vin de Bourgogne. Dans l'enchantement des premiers matins, quand le soleil les traversait pour frapper le palier et couler le long de la rampe, Douglas restait littéralement envoûté près de cette fenêtre, à regarder le monde et la vie à travers les carreaux multicolores.

À présent, un monde bleu, un ciel bleu, des trams bleus et des chiens bleus qui trottinaient.

Il changea de place. Maintenant, un monde ambré. Deux femmes passèrent, citronnées, ressemblant à des filles de Fu Mandchu ! Ce carreau-ci faisait paraître le soleil lui-même d'un or plus pur.

Huit heures sonnaient. M. Koberman passait en

bas, sur le trottoir, rentrait de son travail de nuit sa canne accrochée au coude, son atroce chapeau de paille collé sur le crâne par la brillantine.

Douglas changea de carreau une fois de plus. M. Koberman était un Peau-Rouge s'avançant dans un monde rouge aux arbres rouges, aux fleurs rouges... et... et quelque chose d'autre.

Quelque chose émanant de M. Koberman.

Douglas loucha.

La vitre rouge *faisait des choses* à M. Koberman. Sa figure. Ses vêtements. Ses mains. Ses vêtements semblaient fondre. Douglas crut presque, pendant un terrible moment, qu'il pouvait voir *à l'intérieur* de M. Koberman. Et ce qu'il vit le fit s'appuyer follement contre le carreau rouge, en clignant des yeux.

À ce moment, M. Koberman leva les yeux, vit Douglas et leva rageusement sa canne-parapluie, comme pour frapper. Il courut à toute vitesse à travers la pelouse rouge jusqu'à la porte d'entrée.

— Jeune homme ! cria-t-il, courant toujours, avalant les marches quatre à quatre, que faisiez-vous là ?

— Je regardais, dit-il, se sentant soudain tout gauche.

— C'est tout, oui, c'est tout ? cria M. Koberman.

— Oui, monsieur. Je regarde par tous les carreaux. Toutes sortes de mondes. Bleu... rouge... jaune... Tous différents.

— Toutes sortes de mondes, vraiment ?

M. Koberman regarda les petits carreaux et par

extraordinaire sa figure était pâle. Il se ressaisit, essuya son visage avec un mouchoir et feignit de rire.

— Oui. Toutes sortes de mondes. Tous différents.

Il alla jusqu'à la porte de sa chambre, puis :

— Continue, joue, dit-il.

La porte se referma. Le palier était vide. M. Kober-man était rentré.

Douglas haussa les épaules, et chercha un autre carreau :

— Oh ! tout est violet !...

Une demi-heure plus tard, tandis qu'il jouait dans son parc à sable derrière la maison, Douglas entendit l'éclatement, puis la chute des éclats tintants. Il bondit.

L'instant d'après, Grandma parut sur le perron de derrière, le vieux cuir à rasoir tremblant dans sa main.

— Douglas ! Je t'ai déjà dit combien de fois de ne pas lancer ta balle contre la maison ! Oh ! j'en pleurerais !

— Je n'ai pas bougé d'ici ! protesta-t-il.

— Viens voir ce que tu as fait, vilain garçon !

Les grands carreaux de couleur étaient épars en un chaos d'arc-en-ciel sur le palier d'en haut, et sa balle était au milieu des ruines.

Avant même qu'il pût recommencer à dire son innocence, Douglas avait pris sur son postérieur une douzaine de coups cinglants. Où qu'il allât, en criant, le cuir le rattrapait et cinglait de nouveau.

Plus tard, cachant sa peine dans le sable comme une autruche, Douglas entretenait son affreux cha-

134

grin en un muet soliloque. Il savait qui avait jeté cette balle. Un homme avec un chapeau de paille et un parapluie tout raide et une chambre froide et grise. Oui, oui, oui ! Il reniflait et ses larmes ruisselaient. Attendez ! Attendez seulement !

Il entendit Grandma balayer les débris, les ramasser dans son tablier et aller les porter à la poubelle. Bleus, roses, jaunes, des météores de verre dégringolèrent, lumineux.

Quand Grandma fut partie, Douglas se traîna en geignant jusque-là, pour sauver quelques morceaux du verre admirable. Il en repêcha trois. M. Koberman détestait les fenêtres de couleur. Ceci – il fit tinter les rescapés entre ses doigts – ceci valait donc la peine d'être conservé.

Grand-père arrivait de son bureau au journal chaque soir, un peu avant les pensionnaires, à cinq heures.

Quand un pas lent et pesant emplit le hall, quand une solide canne d'acajou retomba dans le porte-parapluie, Douglas courut enlacer le vaste estomac et s'asseoir sur les genoux de Grandpa pendant que celui-ci lisait le journal du soir.

— Hi ! Grandpa !

— Hello, toi, là-dessous !

— Grandma a encore coupé des poulets aujourd'hui. C'est amusant de la regarder faire, dit Douglas.

Grandpa continua sa lecture.

— Cela fait deux fois cette semaine, des poulets. Elle est la femme la plus poulettière qu'on puisse

imaginer. Tu aimes la regarder les découper, hein ?
Insensible petit coquin ! Ha !

— Je suis seulement curieux.

— Ça, on peut dire que tu l'es, fit Grandpa, grondant un peu, riant un peu. Tu te rappelles, le jour que cette jeune dame a été tuée à la gare ? Tu y es allé tranquillement et tu l'as regardée, sang compris. Drôle d'oiseau, va ! Reste comme ça. Ne crains rien. Ne crains jamais rien de ta vie. Je crois que tu tiens ça de ton père. On n'est pas militaire pour rien, et tu étais tellement proche de lui jusqu'à ce que tu viennes vivre ici, l'an dernier.

Grandpa revint à son journal.

Une longue pause.

— Gramps ?

— Oui ?

— Et si un homme n'avait pas de cœur ou de poumons ou d'estomac, et tout de même allait et venait, vivant ?

— Ça, grommela Gramps, ce serait un miracle.

— Je ne veux pas dire un... un miracle... Non. Je veux dire s'il était tout à fait *différent* à l'intérieur. Pas comme moi.

— Eh bien, il ne serait pas tout à fait humain, pas vrai, garçon ?

— Je crois bien que non, Gramps. Gramps, tu as un cœur et des poumons ?

Gramps rit à petits coups :

— Ma foi, à dire vrai, je n'en *sais* rien. Les ai jamais vus ni sentis. Jamais eu une radio, jamais vu un médecin. Pour tout ce que j'en sais, je puis être aussi massif qu'une pomme de terre.

— Est-ce que *j'ai* un estomac, moi ?

— Aucun doute sur ce point ! cria Grandma depuis la porte du salon. Je le sais parce que je le nourris. Et tu as des poumons ! Tu brailles assez haut pour réveiller les morts. Et tu as les mains sales, va te les laver. Le dîner est prêt. Arrive, Grandpa. Douglas, grouille !

Dans l'avalanche des pensionnaires dévalant l'escalier, Grandpa, s'il avait eu l'intention de questionner davantage Douglas sur leur étrange conversation, en perdit l'occasion. Si le dîner avait été retardé d'une minute encore, Grandma et les patates auraient pareillement mal tourné.

Les pensionnaires riant et bavardant à table – M. Koberman muet et morose parmi eux – firent silence quand Grandpa s'éclaircit la gorge. Il parla politique pendant quelques minutes, puis dériva vers le troublant sujet des morts récentes et bizarres dans la ville.

— Il y a de quoi faire dresser l'oreille à un vieil éditeur de journal, dit-il, en les regardant tous. Cette jeune mademoiselle Larson par exemple, qui vivait de l'autre côté du ravin. Trouvée morte voici trois jours, sans raison apparente. Seulement de curieuses espèces de tatouages sur tout le corps et, sur la figure, une expression à faire frémir Dante. Et cette autre jeune personne, comment s'appelait-elle ? Whitely ? Elle a disparu et n'est *jamais revenue.*

— C'est des choses qui arrivent tout le temps, dit, tout en mastiquant, M. Britz, le mécanicien du garage. 'Zavez jamais donné un coup d'œil à la liste dans un Bureau des Disparus ? Y en a long *comme ça.* (Il illustra son texte du geste.) On peut pas savoir ce qui est arrivé à la plupart d'entre eux.

— Est-ce que quelqu'un veut encore un peu de farce ?

Grandma distribuait de généreuses portions de l'intérieur du poulet. Douglas regardait, pensant à comment ce poulet avait deux sortes de boyaux, ceux faits par Dieu et ceux faits par la main de l'homme.

Oui. Et alors, s'il s'agissait de *trois* sortes de boyaux ? Hein ?

Pourquoi pas ?

La conversation continuait à propos de la mort mystérieuse de tel ou tel, et, oh !, oui, vous rappelez-vous, l'autre semaine, Marion Barsumian est morte d'un arrêt du cœur, mais peut-être bien que ça n'avait pas de rapport ? ou si ça en avait ? vous êtes fou ! pensez à autre chose, pourquoi parler de ça à la table du dîner ? Alors voilà.

— On peut jamais dire, remarqua M. Britz. Peut-être que nous avons un vampire dans la ville.

M. Koberman cessa de manger.

— En l'an 1927 ? fit Grandma. Un vampire ? Allez, allez !

— Bien sûr, fit M. Britz. On les tue avec des balles d'argent. Avec n'importe quoi en argent, d'ailleurs. *Détestent* l'argent. Peuvent pas le supporter. J'ai lu ça un jour, quelque part dans un livre. Ça, j'en suis sûr !

Douglas regarda M. Koberman qui mangeait avec un couvert en bois et n'avait dans sa poche que de tout neufs sous de cuivre.

— C'est piètre jugement, dit Grandpa, que de donner au petit bonheur un nom à n'importe quoi. Nous ne savons pas ce qu'est un farfadet ni un vampire ni un troll. Peuvent être un tas de choses. On ne peut les fourrer dans des catégories, sous des étiquettes et décider qu'ils se comporteront de telle ou telle manière. Ce serait absurde. Ce sont des gens. Des gens qui font des choses. Oui, ce serait la bonne formule : des gens qui font des choses.

— Excusez-moi, dit M. Koberman, qui se leva et sortit pour sa promenade vespérale vers le lieu de son travail.

Les étoiles, la lune, le vent, la pendule qui tictaquait, le carillon qui égrenait les heures menant à l'aurore, le soleil qui se levait, et voilà un autre matin, un autre jour, et M. Koberman revenant le long du trottoir du travail de sa nuit. Douglas se tint au large, petit mécanisme qui tournait, vrombissait, veillait de ses yeux attentivement microscopiques.

Vers midi Grandma s'en fut acheter de l'épicerie.

Comme c'était déjà son habitude une fois Grandma partie, Douglas alla hurler et brailler à la porte de

M. Koberman pendant trois pleines minutes. Et, comme d'habitude, il n'y eut pas de réponse. Le silence était horrible.

Il dégringola les marches, s'empara du passe-partout, d'une fourchette d'argent, et des trois morceaux de verre coloré qu'il avait récupérés dans les ruines de la fenêtre. Il inséra le passe dans la serrure et ouvrit lentement la porte.

La chambre était dans une demi-clarté, stores baissés. M. Koberman était allongé sur son lit non défait, en vêtement de nuit, et respirait doucement, sa poitrine se soulevait et s'abaissait. Il ne bougeait pas. Son visage était totalement immobile.

— Hello, monsieur Koberman.

Les murs sans couleur renvoyaient en écho le souffle régulier de l'homme.

Faisant sauter une balle de golf, Douglas s'avança. M. Koberman ne bougea point. Douglas hurla.

Toujours pas de réponse.

— Monsieur Koberman !

Penché vers le dormeur, Douglas lui piqua le visage avec les dents de la fourchette d'argent.

M. Koberman frissonna. Il se tordit. Il gémit amèrement.

Cette fois, réponse. Bien. Chic.

Douglas tira de sa poche un morceau de verre bleu. Regardant au travers, il se trouva dans une chambre bleue, dans un monde bleu, différent du monde qu'il connaissait. Aussi différent qu'était, par exemple, le monde rouge. Meubles bleus, lit bleu, plafond et murs bleus, couvert de bois bleu sur le bureau et le bleu sombre du visage et des bras de M. Koberman et sa poitrine bleue qui montait et descendait. Et aussi...

Les yeux grands ouverts de M. Koberman qui le regardaient avec une sombre faim.

Douglas se recula, retira le verre bleu de devant ses yeux.

Les yeux de M. Koberman étaient fermés.

Le verre bleu de nouveau, ouverts. Le verre bleu ôté, fermés. Curieux ! Douglas continuait en tremblant son expérience. Avec le verre bleu, les yeux de M. Koberman semblaient le regarder vivement – des yeux d'affamé – à travers ses paupières closes. Sans le verre bleu, ils étaient étroitement fermés.

Mais c'était le reste du corps de M. Koberman : les vêtements de nuit de M. Koberman se dissolvaient sur lui. Le verre bleu y était pour quelque chose. Ou peut-être les vêtements faisaient-ils ça d'eux-mêmes. Rien que parce qu'ils étaient sur M. Koberman. Douglas cria.

Il voyait à travers la paroi du ventre de M. Koberman, en plein *dans son intérieur.*

M. Koberman était solide.

Ou presque solide, en tout cas.

Il y avait en lui d'étranges objets, de formes bizarres...

Douglas devait être resté, stupéfait, pendant cinq bonnes minutes, à penser aux mondes bleus, aux mondes rouges, aux mondes jaunes côte à côte, vivant ensemble comme les carreaux de couleur qui encadraient hier encore la grande fenêtre blanche de l'escalier. Côte à côte, les carreaux colorés, les mondes différents, M. Koberman lui-même l'avait dit.

Ainsi donc, voilà pourquoi la fenêtre entourée de couleurs avait été brisée.

— Monsieur Koberman, réveillez-vous.

Pas de réponse.

— Monsieur Koberman, où travaillez-vous la nuit ? Où travaillez-vous, monsieur Koberman ?

Une brise légère agita le store bleu.

— Dans un monde rouge ou un monde bleu ou un monde jaune, monsieur Koberman ?

Sur toutes choses planait un silence de verre bleu.

— Attendez là, dit Douglas.

Il descendit à la cuisine, ouvrit le grand tiroir qui craquait, y prit le plus grand, le plus tranchant des couteaux.

Très calmement, il traversa le hall, remonta l'escalier, ouvrit la porte de la chambre de M. Koberman, entra, referma la porte, tenant le couteau pointu dans sa main.

Grandma était occupée à pétrir une croûte de pâté quand Douglas entra dans la cuisine et déposa quelque chose sur la table.

— Grandma, qu'est-ce que c'est que ça ?

Elle donna un coup d'œil par-dessus ses lunettes.

— Sais pas.

C'était carré, comme une boîte. C'était élastique. C'était d'un orange éclatant. Quatre tubes carrés y étaient attachés, de couleur bleue. L'odeur était bizarre.

— Jamais rien vu de pareil, Grandma ?

— Non.

— C'est bien ce que je pensais.

Douglas laissa là l'objet, quitta la cuisine, y revint cinq minutes plus tard :

— Et ça ?

Il déposa sur la table une chaînette aux mailles d'un rose éclatant d'où pendait un triangle pourpre.

— Ne m'ennuie pas, dit Grandma. Ce n'est qu'une chaîne.

Il revint ensuite avec les deux mains pleines. Un anneau, un carré, un triangle, une pyramide, un rectangle, et... et d'autres formes. Tout cela était flexible, élastique et paraissait fait de gélatine.

— Ce n'est pas tout, dit Douglas, en continuant à déposer ce qu'il portait. Il en reste davantage là d'où ça vient.

— Oui, oui, dit d'un ton lointain et vague Grandma, très occupée.

— Tu avais tort, Grammy.

— Tort à propos de quoi ?

— Quand tu m'as dit que tous les gens étaient pareils à l'intérieur.

— Cesse donc de dire des bêtises.

— Où est mon petit cochon-tirelire ?

— Sur la cheminée où tu l'as laissé.

— Merci.

Il disparut dans le salon et prit son cochonnet-tirelire.

Grandpa rentra du bureau à cinq heures.

— Grandpa, tu veux monter avec moi ?

— Bien sûr, fils. Pourquoi ?

— Quelque chose à te montrer. Pas joli, mais inté-ressant.

Grandpa suivit en riant les pas de son petit-fils jusqu'à la chambre de M. Koberman.

— Faut pas que Grandma soit au courant, elle n'aimerait pas ça, dit Douglas en poussant la porte. Voilà !

Grandpa resta bouche bée.

Douglas se souvint toute sa vie des quelques heures qui suivirent. Debout auprès du corps nu de M. Koberman, le coroner et ses adjoints. En bas, Grandma s'informant :

— Qu'est-ce qui se passe là-haut ?

Et Grandpa disait d'une voix mal assurée :

— Je vais emmener Douglas faire un grand tour de vacances, pour qu'il puisse oublier toute cette affreuse histoire. Affreuse, affreuse histoire !

Douglas dit :

— Pourquoi affreuse ? Qu'est-ce qu'il y a de mauvais là-dedans ? Je ne vois rien de mauvais. Je ne me sens pas mal du tout.

Le coroner frissonna et dit :

— Koberman est mort et bien mort.

Son adjoint transpirait :

— Avez-vous vu ces *choses* dans les baquets d'eau et dans le papier d'emballage ?

— Oh ! mon Dieu, oui ! Je les ai vues.

— Seigneur !

Le coroner se courba de nouveau sur le corps de M. Koberman.

— Les garçons, il vaut mieux que ceci reste secret. Ce n'est pas un meurtre. C'est un bienfait qui a poussé le gamin à agir. Dieu seul sait ce qui serait arrivé s'il n'avait pas agi de la sorte.

— Qu'était M. Koberman ? Un vampire ? un monstre ?

— Peut-être. Sais pas. Sûrement quelque chose de pas humain.

Les mains du coroner suivaient agilement la suture.

Douglas était fier de son travail. Il avait attentivement regardé faire Grandma et s'était souvenu. L'aiguille, le fil et tout. Tout bien considéré, M. Koberman représentait une besogne aussi réussie que n'importe quel poulet expédié dans l'ailleurs par les soins de Grandma.

— J'ai entendu le garçon dire que Koberman vivait encore après que toutes ces *choses* avaient été extraites de lui.

Le coroner regarda les triangles et les chaînes et les pyramides flottant dans les baquets d'eau. Continuait à *vivre*. Seigneur !

— Le gamin a dit cela ?

— Il l'a dit.

— Alors, qu'est-ce qui *a tué* finalement Koberman ?

Le coroner écarta quelques brins de fil à coudre :

— Ceci, dit-il.

Le soleil mettait une froide lumière sur un trésor à demi révélé : six dollars soixante-dix en décimes d'argent dans la poitrine de M. Koberman.

— Je crois, dit le coroner, recousant rapidement la chair sur cette « farce », que Douglas a fait un sage placement.

1947

Titre original : The Man Upstairs

Traduit de l'américain par Doringe in *Le Pays d'Octobre*

© Éditions Denoël, 1957, pour la traduction française

Publié pour la première fois

par Mayer and Brothers en 1947

LA VOIX DU SANG

*

Richard Matheson

Les habitants du quartier furent définitivement convaincus que Jules était fou lorsqu'ils entendirent parler de sa rédaction.

Depuis longtemps déjà, ils avaient des soupçons.

Le regard fixe et inexpressif de Jules donnait le frisson. Sa voix gutturale jurait de façon étrange avec sa frêle constitution. La pâleur de sa peau, qui semblait pendre mollement autour de sa chair, mettait beaucoup d'enfants mal à l'aise. Il détestait la lumière du soleil.

Et ce qu'il avait dans la tête était un peu incongru pour les gens du voisinage.

Jules n'avait qu'une envie : être un vampire.

La rumeur publique affirmait qu'il était né par une nuit de tempête à déraciner les arbres. On disait qu'il avait trois dents à sa naissance. Qu'il s'en servait pour s'accrocher au sein de sa mère et en tirer du sang aussi bien que du lait.

Qu'il ricanait et aboyait dans son berceau une fois la nuit tombée. Qu'il avait commencé à marcher à deux mois et restait assis à contempler la lune chaque fois qu'elle brillait.

Voilà ce que l'on disait de lui.

Ses parents ne cessaient de se faire du souci à son sujet. Jules étant fils unique, ils n'avaient pas tardé à remarquer ses tares.

Ils le crurent aveugle jusqu'au jour où le médecin leur expliqua qu'il avait simplement le regard absent. Et qu'avec sa grosse tête, il pouvait aussi bien être un génie qu'un crétin. Il s'avéra qu'il était un crétin.

Jusqu'à l'âge de cinq ans, il ne prononça pas un seul mot. Puis, un soir, alors qu'il venait de s'asseoir à table pour dîner, il lâcha : « Mort. »

Tout d'abord partagés entre la joie et le dégoût, ses parents finirent par éprouver un sentiment inter-médiaire. Ils décrétèrent que Jules ne pouvait pas comprendre ce que ce mot signifiait.

Ce en quoi ils se trompaient.

À partir de ce jour, Jules se constitua un vocabu-laire si riche que tous ceux qui le connaissaient en étaient stupéfaits. Non seulement il retenait tous les mots qu'il entendait ou voyait, ceux des panneaux, des revues et des livres qui lui tombaient sous les yeux, mais il inventait des mots à lui.

Nuitouche, par exemple. *Ou tuaimer*. C'étaient des espèces de mots-valises qui traduisaient des choses que Jules ressentait mais qu'il n'aurait su exprimer à l'aide d'autres mots.

En général il restait assis à l'écart tandis que les enfants du voisinage jouaient à la marelle, à la balle ou à d'autres jeux. Immobile, le regard fixé sur le trottoir, il inventait des mots.

Jusqu'à l'âge de douze ans, Jules ne commit pratiquement aucune bêtise.

On le trouva bien un jour occupé à déshabiller Olive Jones dans une impasse. Et on le surprit une autre fois en train de disséquer un chaton sur son lit.

Mais ce fut à quelques années d'intervalle et ces petits scandales furent oubliés.

Dans l'ensemble, son enfance se passa sans qu'on puisse lui reprocher autre chose que le dégoût qu'il inspirait.

Il allait à l'école mais ne fournissait aucun travail. D'où quelques redoublements. Les instituteurs ne le connaissaient que par son prénom. Dans certaines matières, comme la lecture et l'écriture, il se montrait presque brillant.

Dans d'autres, il était d'une nullité crasse.

Un samedi – il avait alors douze ans – Jules alla au cinéma voir *Dracula*.

Le film terminé, il n'était plus qu'une masse de nerfs à vif quand il sortit de la salle au milieu des autres enfants.

Il rentra chez lui et s'enferma dans la salle de bains pendant deux heures.

Ses parents frappèrent de grands coups à la porte, brandirent des menaces, mais il refusa de sortir.

Enfin, quand ce fut l'heure du dîner, il vint se mettre à table. Il portait un pansement au pouce et arborait une expression de satisfaction.

Le lendemain matin, il se rendit à la bibliothèque. C'était dimanche. Il passa toute la journée assis sur les marches à attendre l'ouverture. Puis il rentra chez lui.

Il y retourna le lundi au lieu d'aller à l'école.

Il découvrit *Dracula* sur une des étagères, mais il ne put emprunter le livre car il n'était pas membre et ne pouvait le devenir qu'en se présentant accompagné de son père ou de sa mère.

Il fourra donc le livre dans la ceinture de son pantalon et ne devait jamais le rapporter.

Il alla s'asseoir dans le parc et le lut d'un bout à l'autre. La soirée était fort avancée quand il l'eut achevé.

Il le reprit au début et, courant d'un lampadaire à l'autre, resta plongé dedans tout le long du trajet qui le ramenait chez lui.

Il n'entendit pas un mot du savon qu'on lui passa pour avoir manqué le repas de midi et le dîner. Il mangea et se rendit dans sa chambre pour achever sa lecture. On lui demanda où il avait pêché ce livre. Il répondit qu'il l'avait trouvé.

Jules passa les jours suivants à lire et relire l'ouvrage. Sans mettre une seule fois les pieds à l'école.

Tard dans la nuit, quand il avait sombré dans un

sommeil fourbu, sa mère emportait le livre au salon pour le montrer à son mari.

Un soir, ils remarquèrent que Jules avait souligné certaines phrases d'un trait de crayon tremblotant.

Par exemple : « Ses lèvres étaient écarlates, tout humides de sang frais dont un filet avait coulé sur son menton et souillé la batiste blanche de sa chemise mortuaire. »

Ou encore : « Lorsque le sang commença à jaillir, d'une main il saisit les deux miennes de façon à me rendre tout geste impossible, et de l'autre, il me prit la nuque et, de force, m'appliqua la bouche contre sa veine déchirée... »

Quand elle tomba sur ces lignes, sa mère jeta le volume dans le vide-ordures.

Le lendemain matin, quand il constata que son livre avait disparu, Jules se mit à hurler et tordit le bras de sa mère jusqu'à ce qu'elle lui dise ce qu'elle en avait fait.

Alors il descendit au sous-sol et fouilla dans le monceau d'ordures jusqu'à ce qu'il l'ait retrouvé.

Les mains et les poignets maculés de marc de café et de jaune d'œuf, il se rendit dans le parc pour reprendre sa lecture.

Un mois durant, il dévora le livre. Puis, le connaissant par cœur, il le jeta et se contenta de le remâcher.

Des avis d'absence ne cessaient d'arriver de l'école. Sa mère poussait des hauts cris. Jules décida de retourner en classe pour quelque temps.

Il avait envie de composer une rédaction.

Ce qu'il fit un jour, à l'occasion d'un devoir sur table. Quand tout le monde eut fini, la maîtresse demanda qui était volontaire pour lire sa rédaction devant la classe.

Jules leva la main.

La maîtresse fut surprise mais, charitable, ne voulut pas le décourager. Elle rentra son petit menton pointu et sourit.

— Très bien, dit-elle. Soyez attentifs, les enfants. Jules va nous lire sa rédaction.

Jules se leva. Il était tout excité. La feuille de papier tremblait dans ses mains.

— *L'ambition de ma vie*, par...

— Viens te mettre en face de la classe, mon petit Jules.

Il obéit. La maîtresse lui adressa un sourire affectueux. Il reprit :

— *L'ambition de ma vie*, par Jules Dracula.

Le sourire s'affaissa.

— Quand je serai grand, je veux être un vampire.

Les lèvres de la maîtresse se crispèrent. Ses yeux faillirent lui sortir de la tête.

— Je veux vivre éternellement, me venger de tout le monde et transformer toutes les filles en vampires. Je veux puer la mort.

— Jules !

— Je veux avoir une haleine fétide, empestant la terre morte, le caveau et la fadeur du cercueil.

La maîtresse frissonna. Ses mains étaient agitées de tressaillements sur son buvard. Elle n'en croyait pas ses oreilles. Elle regarda les enfants. Ils étaient bouche bée. Certains d'entre eux pouffaient. Mais pas les filles.

— Je veux être tout froid, avoir la chair putréfiée et du sang volé dans les veines.

— Ça suf... ahem ! (La maîtresse dut s'éclaircir bruyamment la gorge.) Ça suffit comme ça, Jules.

Il reprit plus fort, avec l'énergie du désespoir :

— Je veux planter mes terribles dents blanches dans le cou de mes victimes. Je veux qu'elles...

— Jules ! Retourne tout de suite à ta place !

— Je veux qu'elles s'enfoncent comme des rasoirs dans la chair et les veines, déclama férocement Jules.

La maîtresse se leva d'un bond. Les enfants avaient la chair de poule. Plus personne ne gloussait.

— Je veux ensuite retirer mes dents, laisser le sang couler à flots dans ma bouche, descendre, tout chaud, dans mon gosier...

La maîtresse le saisit par le bras, Jules se dégagea et courut se réfugier dans un coin. Barricadé derrière un tabouret, il hurla :

— ... me pourlécher et faire courir mes lèvres sur la gorge de mes victimes ! Je veux boire le sang des filles !

La maîtresse se jeta sur lui et parvint à le tirer hors de son abri. Il la griffa et continua de hurler tandis qu'elle l'entraînait vers la porte, puis vers le bureau du directeur.

— Voilà mon ambition ! Voilà mon ambition ! Voilà l'ambition de ma vie !

Affligeant.

153

On enferma Jules dans sa chambre. La maîtresse et le directeur avaient pris ses parents à part. Ils parlaient d'une voix sépulcrale.

Racontaient la scène.

D'autres parents en discutaient dans le quartier. La plupart d'entre eux n'en avaient tout d'abord rien cru. Ils pensaient que c'était une invention de leurs enfants.

Puis ils se firent la réflexion qu'il fallait que leurs rejetons soient de véritables monstres pour inventer des histoires pareilles.

Alors ils y crurent.

Dès lors, tout le monde se méfia de Jules comme d'un oiseau de proie. On évitait son contact, on fuyait sa présence. Les parents faisaient rentrer leurs enfants dès qu'ils l'apercevaient dans la rue. Des anecdotes circulaient à son sujet.

Les avis d'absence recommencèrent à affluer.

Jules annonça à sa mère qu'il n'irait plus à l'école. Rien ne devait le faire changer d'avis. Il n'y mit plus les pieds.

Quand un représentant de l'autorité scolaire débarquait à l'appartement, Jules s'enfuyait sur les toits jusqu'à ce qu'il soit parti.

Une année s'écoula en pure perte.

Jules errait dans les rues en quête de quelque chose, mais quoi ? Il ne le savait pas lui-même. Il cherchait dans les ruelles. Il cherchait dans les boîtes à ordures. Il cherchait dans les parkings. Il cherchait à l'est, à l'ouest, dans le centre.

Sans parvenir à trouver ce qu'il désirait.

Il dormait peu. Ne parlait jamais. Gardait les yeux fixés à terre. Il oublia les mots qu'il s'était forgés.

Et puis...

Un jour qu'il flânait dans le parc, Jules poussa jusqu'au jardin zoologique.

Il se sentit traversé par un courant électrique lorsqu'il vit l'énorme chauve-souris.

Ses yeux s'agrandirent et un large sourire découvrit ses dents jaunâtres.

À partir de ce moment, Jules retourna chaque jour au zoo rendre visite à la chauve-souris. Il lui parlait, l'appelait Comte. Persuadé qu'il était d'avoir affaire à un de ses avatars.

L'envie de s'instruire le reprit.

Il vola un autre livre à la bibliothèque. Un livre contenant tout ce qu'il y avait à savoir sur la vie animale.

Il trouva la page sur la grande chauve-souris, l'arracha et jeta le livre.

Il apprit l'article par cœur.

Il sut comment la chauve-souris pratiquait sa morsure. Découvrit qu'elle lapait le sang comme un chaton son lait. Qu'elle marchait sur ses ailes repliées et ses pattes de derrière à la façon d'une araignée noire et velue. Pourquoi elle ne se nourrissait que de sang.

Les mois succédèrent aux mois. Jules continuait de rendre visite à la chauve-souris, s'absorbait dans sa contemplation, lui parlait. Elle devint sa seule consolation dans la vie. Le symbole de rêves devenus réalité.

Un jour, Jules remarqua que le bas du grillage recouvrant la cage s'était partiellement descellé.

Il regarda autour de lui de toute la vitesse de ses yeux noirs. Personne ne l'observait. Le temps était couvert. Il n'y avait pas grand monde dans les parages.

Jules tira sur le grillage.

Celui-ci bougea un peu.

Puis il vit un homme sortir du pavillon des singes. Il retira aussitôt sa main et s'éloigna tranquillement en sifflant un air qu'il venait juste d'inventer.

Tard dans la nuit, alors qu'il était censé dormir, il passait sur la pointe des pieds devant la chambre de ses parents. Il prêtait un instant l'oreille, les entendait ronfler. Puis il se hâtait de sortir, enfilait ses chaussures, et en route pour le jardin zoologique.

Quand le gardien n'était pas en vue, Jules tirait sur le grillage.

Le détachant chaque fois un peu plus.

Quand il était temps de rentrer chez lui, il remettait le grillage en place. Impossible de se rendre compte de quoi que ce soit.

Toute la journée, Jules restait debout devant la cage et, regardant le Comte, ricanait et lui disait qu'il serait bientôt libre.

Il faisait part au Comte de tout ce qu'il savait. Lui

expliquait qu'il allait s'entraîner à descendre le long des murs la tête en bas.

Il lui disait de ne pas s'inquiéter. Il serait bientôt libre. Et alors, tous les deux, ils pourraient aller un peu partout et boire le sang des filles.

Une nuit, Jules tira sur le grillage et se glissa dessous pour pénétrer dans la cage.

Il y régnait un noir d'encre.

Jules s'avança à quatre pattes jusqu'à la maisonnette en bois, prêtant l'oreille, guettant le moindre petit cri du Comte.

Il passa un bras dans l'ouverture enténébrée, tout en continuant ses messes basses.

Il sursauta en sentant une piqûre d'aiguille au bout du doigt.

Son visage étroit rayonnant d'une joie intense, Jules attira à lui la chauve-souris velue toute palpitante.

Il sortit de la cage en la tenant contre lui, quitta le jardin zoologique et le parc de toute la vitesse de ses jambes. Poursuivit sa course dans les rues silencieuses.

Le jour n'était pas loin de se lever. Une lueur grisâtre gagnait le ciel sombre. Impossible de rentrer chez lui. Il lui fallait trouver un refuge.

Il s'engagea dans une ruelle et escalada une clôture. Il tenait toujours la chauve-souris bien serrée contre lui. Celle-ci lapait le sang qui ruisselait de son doigt.

Il traversa un jardin et pénétra dans une cabane en planches à l'abandon.

L'intérieur était sombre, humide. Jonché de gravats, de boîtes de conserve vides, de cartons détrempés et d'excréments.

Jules s'assura qu'il n'y avait pas d'issue par où la chauve-souris puisse s'échapper.

Puis il referma soigneusement la porte et inséra un petit bout de bois dans le loquet.

Il sentait son cœur battre à grands coups et ses membres trembler. Il lâcha la chauve-souris. Elle s'envola dans un coin sombre et s'accrocha au bois.

Jules déchira fiévreusement sa chemise. Ses lèvres frémissaient, étirées en un sourire dément.

Il plongea une main dans la poche de son pantalon et en retira un canif qu'il avait volé à sa mère.

Il l'ouvrit et passa un doigt sur la lame, qui entailla la chair.

D'une main tremblante, il la planta dans sa gorge. Se l'incisa. Ses doigts furent inondés de sang.

— Comte ! Comte ! cria-t-il, extatique. Venez boire mon sang vermeil. Venez me boire ! Venez me boire !

Il trébucha sur les boîtes de conserve, glissa, tâtonna pour attraper la chauve-souris. Celle-ci s'envola de son perchoir et alla s'accrocher de l'autre côté de la cabane.

Des larmes coulèrent sur les joues de Jules.

Il grinça des dents. Le sang ruisselait sur ses épaules et sa poitrine étroite.

Son corps tremblait de fièvre. Chancelant, il repartit en arrière, s'étala par terre et sentit le rebord tranchant d'une boîte de conserve lui entailler le flanc.

Il tendit les mains. Les referma sur la chauve-souris. Il la plaça contre sa gorge et, se laissant aller en arrière, s'allongea de tout son long sur la terre fraîche et humide. Puis il poussa un grand soupir.

Il se mit à gémir, les mains crispées sur sa poitrine. Son estomac se souleva. L'énorme chauve-souris noire lapait son sang en silence.

Jules sentit sa vie le quitter goutte à goutte.

Il revit toutes les années passées. L'attente. Ses parents. L'école. Dracula. Les rêves. Pour en arriver là. À cette gloire soudaine.

Les yeux de Jules papillotèrent, s'ouvrirent.

L'intérieur puant de la cabane se mit à tourner au-dessus de lui.

Il avait du mal à respirer. Il ouvrit la bouche. Aspira un air vicié qui le fit tousser. Son corps maigre s'agita sur le sol glacé.

La brume qui lui enveloppait le cerveau se dissipa. Tels des voiles qui s'envolaient un à un.

Soudain une terrible clarté se fit dans son esprit.

Son flanc douloureux se rappela à son souvenir.

Il se rendit compte qu'il était étendu à demi nu sur des ordures et laissait une chauve-souris se repaître de son sang.

Poussant un cri étranglé, il arracha de sa gorge le monstre velu et palpitant et le jeta au loin. La chose revint à la charge, lui éventant le visage de ses ailes.

Tant bien que mal, Jules se mit debout.

Il chercha la porte à tâtons. Il y voyait à peine. Tout ce sang qui coulait de sa gorge... Il tenta de l'arrêter.

Il réussit enfin à ouvrir la porte.

Puis, s'élançant dans le jardin enténébré, il trébucha, tomba tête la première dans l'herbe haute.

Il voulut appeler au secours.

Mais sa bouche n'émit qu'une gargouillante parodie de mots.

Il entendit un bruit d'ailes.

Puis plus rien.

Des mains robustes le soulevèrent délicatement. Le regard mourant de Jules se posa sur le grand homme noir dont les yeux brillaient comme des rubis.

— Mon fils, dit l'homme.

1951
Titre original : Blood Son
Traduit de l'américain par Jacques Chambon
© Flammarion, 1999, pour la traduction française

PROCESSUS DE SÉLECTION

*

Ed Gorman

Un homme du nom de Skylar appela Reardon depuis San Francisco pour lui parler de ce boulot.

— C'est assez particulier, Frank.

Bien sûr. Tous les boulots que lui proposait Skylar étaient très particuliers. C'est pour ça qu'ils étaient si bien rémunérés. Reardon écouta les détails et, après quelques hésitations – Skylar lui parut volontairement vague sur quelques points précis –, il accepta ce job. Après tout, Skylar lui offrait 100 000 dollars, ce qui n'était pas mal, même pour un assassinat. Bien sûr, Skylar ne lui fournit pas de noms. Il ne le faisait jamais. On venait le voir et on lui demandait d'effectuer tel ou tel boulot, et Skylar trouvait les personnes le plus susceptibles de remplir le contrat. D'une certaine façon, il était un découvreur de talents.

— Ah, oui, ajouta-t-il. Demain, tu recevras une lettre contenant toutes les instructions.

Vingt-quatre heures plus tard, Reardon atterrissait dans une grande ville du Middle West. Il prit une chambre confortable dans un bon hôtel du centre-ville, passa la majeure partie de sa journée en slip, à regarder la télévision, puis commença à penser sérieusement à ce qu'il allait faire une fois la nuit tombée.

Ce n'était pas la perspective de devoir tuer quelqu'un qui dérangeait Walter James Reardon. Après avoir passé dix-huit mois dans un camp de prisonniers au Vietnam, puis avoir écopé d'une peine de cinq à dix ans de prison pour cambriolage, Reardon avait fini par apprendre que la vie ne valait pas si cher que le prétendaient les prêtres et les politiciens. Les humains n'étaient qu'une espèce animale arpentant sans but une planète inutile. On vit sa vie, puis rideau. L'annihilation totale du corps et de l'esprit. Comme le disait fort bien ce vieux birbe qu'il avait croisé en prison : « Y a pas de quoi en chier une pendule. Les chiens s'en foutent pas mal et on devrait en faire autant. »

Bon, ce n'était pas le meurtre en lui-même qui dérangeait Reardon. C'était la méthode qui était préconisée dans la lettre d'instructions.

Il faut que vous aspergiez la jeune femme allongée sur le lit avec un litre d'essence avant d'y mettre le feu. Laissez-la brûler quelque temps, puis éteignez l'incendie. Avant de partir, assurez-vous qu'elle est bien morte. Si je vous paie grassement, c'est dans l'espoir que vous ferez ce que je vous dis dans le moindre détail.

Il se demanda qui pouvait bien avoir écrit cette

lettre et comment on pouvait haïr une femme au point de vouloir qu'elle meure brûlée vive. De toute évidence, ce n'était pas l'écriture de Skylar lui-même, mais de celui qui voulait la mort de cette femme.

Reardon dîna d'un sandwich club et d'une cannette de Miller Lite. Il commençait à s'empâter. Certes, les seules filles devant lesquelles il se dénudait étaient des prostituées, mais même les putains ont des yeux pour voir, non ?

La voiture de location était une limousine Chevrolet verte. Il entra dans une quincaillerie et y acheta une torche, un bidon d'essence rouge vif et un plan de la ville.

Dans le parking, il étudia un moment la carte, cherchant le meilleur moyen d'entrer et de sortir du quartier en question et, surtout, d'avoir accès à l'autoroute au cas où les choses tourneraient mal. Lorsqu'il fut fin prêt, il ne lui resta plus qu'à acheter un litre d'essence.

À la fac, Reardon et ses amis passaient pas mal de temps à traîner dans les quartiers comme celui-ci, tout en immenses maisons de luxe aux murs blancs avec des Lincoln et des Cadillac garées dans les allées. Ces demeures abritaient des blondes d'une beauté incroyable, le genre de filles qui ne se seraient pour rien au monde mélangées avec des sales gosses fauchés comme Reardon et ses potes.

Peut-être, après toutes ces années, aurait-il l'occasion ce soir de tuer une de ces salopes prétentieuses. Peut-être qu'une de ces poupées fricotait avec les golfeurs professionnels du country-club et que son avocat ou banquier de mari en avait ras le bol et voulait sa peau.

Mais tout de même, Reardon avait beau être un dur, l'idée de faire rôtir quelqu'un tout vif le dérangeait.

L'adresse qu'il cherchait était au milieu du lotissement. Heureusement, les deux maisons qui la flanquaient de chaque côté étaient plongées dans le silence et l'obscurité.

Il ne ralentit même pas. Il voulait juste apercevoir la façade. Il se dirigea vers la ruelle qui se trouvait derrière la demeure.

Après avoir garé la voiture près du garage, Reardon en descendit, emportant le bidon. Celui-ci était mal fermé, et l'essence goutta sur ses mains et son pantalon. Il lâcha un juron. Il était obsédé par la propreté et mettait un point d'honneur à sentir bon. Il avait été un de ces soldats qui passent des heures à cirer leurs bottes.

Des lucioles scintillaient dans la pénombre ; l'air charriait la douce odeur de l'herbe fraîchement tondue ; à quelques maisons de là, un gros chien se mit à aboyer et courut une bonne centaine de mètres avant d'arriver au bout de sa chaîne. Reardon pensa au temps où il était prisonnier de guerre. Il savait ce que devait endurer ce chien.

L'auteur de la lettre avait fourni la clé de l'entrée de derrière.

Reardon resta là, dans l'obscurité hantée par le chant des criquets, étudiant les ombres que dessinait la lune.

Il regarda à droite, à gauche, en haut, en bas. Partout où quelqu'un pouvait matériellement se cacher. Il ne vit personne. Personne. Mais on ne sait jamais. Quelque part, quelqu'un peut toujours surveiller vos moindres gestes. Quelque part. Tout près.

Il tapota le 7,65 contenu dans son holster d'épaule, caché sous sa veste blanche de chez Brooks Brothers. Si ça foirait, il avait toujours cette solution.

Il ouvrit l'écran du porche de derrière. Les ombres des appareils de jardinage rangés dans le vestibule se dessinaient dans l'entrée. Il planait dans l'air une faible odeur de whisky et de cigarette.

Bidon en main, il alla à la porte menant à l'intérieur, tourna la poignée, inséra la clé.

Moins de trente secondes plus tard, il gravissait les quatre marches menant à la cuisine.

La clarté lunaire illuminait une cuisine sentant la noix de cajou, le paprika et le café. Mais ces odeurs ne parvenaient pas à masquer celle de l'essence qu'il transportait.

Il s'immobilisa une fois de plus. Écouta.

Son cœur s'était accéléré. Il ne se faisait jamais d'illusions. Il était un dur, mais ces opérations avaient toujours quelque chose d'effrayant. Il pouvait toujours y avoir un os. Toujours.

Le réfrigérateur bourdonnait. Une voiture passait dans la rue. Le chien se remit à aboyer.

Reardon s'avança.

Il traversa une grande salle à manger. Il pouvait parfaitement s'imaginer une femme de chambre noire venant servir à une assemblée de gravures de mode des tranches de rôti encore saignant. On y discuterait Bourse et politique et, peut-être, sport. Après la guerre, alors qu'il se disait que, pourquoi pas, il pouvait toujours embrasser la carrière de héros professionnel, il avait été souvent invité chez des gens riches. Et c'est ainsi qu'ils vivaient. Il compatissait toujours avec les femmes de chambre – les bonniches, quoi – qui y officiaient, car il savait qu'elles brûlaient toutes d'envie de renverser leurs plats sur les pingouins qu'elles devaient servir.

La salle à manger s'ornait d'une grande cheminée de pierre. Avec tous ces rayonnages débordants de livres, on avait l'impression d'entrer dans une tanière.

Deuxième étage, chambre du milieu, avait dit l'auteur de la lettre.

Reardon gravit l'escalier circulaire.

Il transpirait. Toujours, lorsqu'il accomplissait un contrat. Les nerfs.

Son corps d'un mètre quatre-vingt-cinq pour cent cinq kilos ne plaisait pas aux marches, qui gémirent et craquèrent tout ce qu'elles savaient.

Il s'arrêta une fois de plus en haut de l'escalier.

Là-haut, on entendait surtout le bruit des canalisations. La maison ne devait avoir que cinquante, soixante ans et avait sans doute besoin de nouveaux tuyaux.

Il s'engagea sur le palier.

Passa devant une chambre dont la porte était fermée. Dans une situation comme celle-ci, une porte close suffisait à lui flanquer une frousse de tous les diables.

Il déposa le bidon et sortit son 7,65. Ce n'était pas une arme exotique, mais il s'y était habitué durant son séjour dans l'armée et ne voyait pas pourquoi il en changerait maintenant.

Il posa la main sur la poignée. Approcha son oreille de la porte. Écouta.

Il ouvrit la porte en coup de vent et posa un genou à terre, revolver braqué, prêt à tirer.

La clarté spectrale de la lune illuminait la pièce à travers des rideaux qui ondulaient dans la brise passant par la fenêtre ouverte.

Un grand lit de bronze et des meubles anciens.

Rien qui puisse l'inquiéter.

Il se leva, prit le bidon d'essence et continua de parcourir le vestibule. Il garda son revolver en main. Son contact le réconfortait.

Il vit la chambre du milieu, mais ne s'arrêta pas pour autant. Il alla à l'autre bout du palier et inspecta les autres pièces. Ce qui s'avéra facile, puisque toutes les portes étaient ouvertes.

Rien.

Il n'y aura personne d'autre que la jeune femme dans son lit.

C'est ce qu'avait promis l'auteur de la lettre. Et c'était vrai.

Bidon dans une main, revolver dans l'autre, Reardon alla à la chambre du milieu.

La porte n'était pas fermée, juste entrebâillée. Reardon la poussa légèrement de la pointe du pied.

Et elle s'ouvrit pour de bon.

Et, aussitôt, il sut qu'il y avait un os.

C'était la plus petite chambre de l'étage. Là où les autres étaient décorées de façon classique, celle-ci arborait un papier peint rose avec des illustrations représentant des ours en peluche caracolant dans des prés. Sous une double fenêtre ouverte se trouvait un petit tricycle et, contre le mur de droite, une étagère remplie de poupées de toutes les formes possibles et imaginables. Il s'étonna qu'aucune des fenêtres ne soit pourvue de moustiquaire.

Puis il comprit pourquoi son instinct avait tiré la sonnette d'alarme.

C'était la chambre d'une petite fille. Et non d'une jeune femme, comme il était stipulé dans la lettre.

Une petite fille.

Elle était allongée dans le lit installé contre le mur. Une petite tête blonde avec des tresses dépassait de la couverture.

Il reposa le bidon et resta là, abasourdi.

Il n'avait jamais seulement imaginé tuer une enfant

et, maintenant qu'il devait se décider, il ne savait trop comment réagir, que penser.

Qui voudrait faire assassiner une petite fille ? Et d'une façon si horrible ?

Il remit son 7,65 dans le holster et se dirigea vers le lit.

Il dut combattre son intuition première qui lui conseillait de fiche le camp. Rentrer chez lui et attendre qu'arrive l'inévitable lettre qui l'informerait qu'il était un dégonflé de première et un connard qui avait complètement salopé le boulot.

Sous son poids, le parquet émit un craquement.

Plus il s'approchait du lit, plus il pouvait entendre la respiration de la petite fille.

Quel âge avait-elle ? Huit ans ? Neuf ?

Comme lui-même n'avait pas d'enfant, il ne savait trop comment calculer.

Il se contentait d'avancer et...

Elle se tourna dans son lit, puis le regarda droit dans les yeux. Et là, au cœur des ténèbres, elle dit :

— Salut. Vous êtes monsieur Reardon, n'est-ce pas ?

Mais bon sang, qu'est-ce qui se passait ?

Sa main revint au 7,65. Il le tira, le tint au creux de sa main.

— Je vous ai fait peur ? demanda-t-elle.

Il eut bien du mal à retrouver sa voix. Il s'éclaircit plusieurs fois la gorge et dit :

— Non.

— Vous êtes plutôt drôle, vous savez.

— Oh, fit-il sans trouver autre chose à dire.

— Oui. Je veux dire, vous êtes là, un grand type baraqué avec un revolver à la main, mais vous avez l'air terrifié. Il me semble que c'est moi qui devrais avoir peur. Mais c'est ça le plus drôle. Je n'ai pas peur du tout.

— Vraiment ?

— Non. Je vous attendais.

— Tu m'attendais ?

— Bien sûr, répéta-t-elle d'un ton suggérant que Reardon n'était pas très malin.

Puis, avant qu'il puisse réagir, elle rejeta ses couvertures et posa un pied sur le parquet.

C'était une jolie petite fille mince dans un pyjama bleu. Le moindre de ses mouvements faisait onduler joyeusement ses nattes.

— Pourquoi ne pas allumer la lumière ? dit-elle, sautant du lit pour se pencher sur la table de nuit.

La clarté parut l'aveugler pendant un instant. Les ombres se massèrent autour de lui.

— C'est mieux, non ?

On aurait dit qu'elle était l'adulte et Reardon l'enfant. Et il se retrouvait planté au beau milieu de la chambre. Le bidon d'essence à ses pieds. Revolver en main.

— Ce n'est pas lourd, des fois ? demanda-t-elle.

— Le revolver ?

— Hum, hum.

— Pas vraiment.

— Pourquoi vous en avez un ?

Il faut que je reprenne le contrôle de la situation, pensa-t-il. *Il y a un os. Un gros. Tout un squelette.*

— Où sont tes parents ? dit-il.

— Pas là.

— Ils te laissent toute seule, si tard dans la nuit ?

— Parfois. Et puis, j'aime bien la nuit. C'est le moment que je préfère.

— Mais tu n'as que...

Elle haussa les épaules.

— Je suis sans doute plus vieille que j'en ai l'air.

Il parcourut la pièce des yeux. À la lumière de la lampe, les ours en peluche semblaient plus joyeux encore. Il se rappela sa jeune sœur Ione, à qui il pensait rarement et qu'il voyait encore moins. En grandissant, elle s'était prise de passion pour les ours en peluche. Chaque sou qu'elle pouvait économiser passait dans sa collection.

Puis il remarqua les deux fenêtres sans moustiquaire. Bon sang, c'était de la folie. N'importe quoi pouvait s'y introduire.

La fillette désigna une carafe argentée et deux verres posés sur un plateau, lui-même installé sur sa table de nuit.

— Vous avez soif, monsieur Reardon ?

— Comment connais-tu mon nom ?

— Oh ! vous seriez certainement surpris par l'étendue de mes connaissances, monsieur Reardon. Mais vous n'avez pas répondu à ma question. Vous voulez un verre d'eau ?

— Euh, non, merci.

— Eh bien, si ça ne vous ennuie pas, je vais me servir.

— Vas-y.

Il ne pouvait croire qu'un dialogue aussi fleuri, aussi adulte puisse sortir d'une petite fille aussi frêle. Il se serait cru dans un étrange cauchemar causé par la marijuana.

La carafe était pleine. Il lui fallut utiliser ses deux mains pour remplir son verre et elle semblait sur le point de tout laisser tomber par terre.

— Vous êtes sûr de ne pas en vouloir ? dit-elle quand son verre fut plein.

— Sûr et certain.

Elle reposa soigneusement la carafe, non sans effort, puis prit le verre et retourna s'asseoir sur le bord de son lit.

Elle avala une grande gorgée d'eau et fit « ah » comme si elle s'en régalait, puis leva les yeux et dit :

— Vous avez toujours l'air effrayé, monsieur Reardon.

— Je veux savoir comment tu peux connaître mon nom.

— On me l'a dit.

— Qui ?

Elle haussa ses maigres épaules.

— Cela n'a pas vraiment d'importance, monsieur Reardon.

— Pour moi, si.

D'un hochement de tête, elle désigna le bidon d'essence.

— Je suis sûre que c'est lourd. Bien plus que votre revolver.

— Sans doute.

Ses yeux croisèrent ceux de Reardon.

— Vous devez avoir de très, très bonnes raisons d'apporter un bidon d'essence jusqu'ici.

— Faut croire.

— Et je parie que je les connais.

Reardon ne dit rien. La petite fille continua de le regarder droit dans les yeux et poursuivit :

— Vous croyez que vous y arriverez, monsieur Reardon ?

— Arriver à faire quoi ?

— Enfin, voyons, monsieur Reardon. Vous savez comme moi pourquoi vous êtes venu jusqu'ici.

— Mais bon Dieu, qui es-tu ?

Elle eut un sourire.

— Je suis la petite fille innocente qui dormait tranquillement lorsque vous avez fait irruption dans ma chambre avec un bidon d'essence pour m'immoler.

— Espèce de petite...

Reardon s'interrompit. Montrer sa colère trahirait sa panique, et il ne voulait pas faire preuve de la moindre faiblesse.

— Comment t'appelles-tu ? demanda-t-il.

Elle soupira, comme si elle en avait assez de lui et de ses questions idiotes.

— Je doute que cela ait une quelconque importance, monsieur Reardon, mais mon nom est Jenny.

— Jenny comment ?

— Jenny O'Shea.

Ce devait être une sorte d'arnaque à l'assurance. C'est tout ce à quoi il pouvait penser. Il avait entendu parler d'un cas semblable à Cleveland. Un homme d'affaires, un gros ponte, se retrouve coincé et la seule façon de s'en sortir est de prendre une assurance-vie sur son gosse, puis de le faire descendre par un professionnel. Malheureusement, le tueur a déconné, et lui et le père ont fini dans la chambre à gaz.

— Je veux que tu me parles de tes parents, dit Reardon.

— Pourquoi ?

— Parce que je veux savoir.

— Je n'ai pas peur de vous, monsieur Reardon. Vous ne pouvez me forcer à faire quoi que ce soit. Et je ne vous dirai rien non plus.

Elle but une autre gorgée d'eau, puis reposa le verre sur la table de nuit avant d'ajouter :

— Maintenant, voulez-vous bien répondre à ma question ?

— Laquelle ?

— Si vous y arriverez ou pas. À m'inonder d'essence et à y mettre le feu ?

— Pourquoi penses-tu que je veuille faire une chose pareille ?

Elle lui décocha un sourire entendu – qui contenait même une pointe de séduction – et dit :

— Nous perdons notre temps, monsieur Reardon. Le mien comme le vôtre.

— Je ne vois pas de quoi tu veux parler.

— Ce doit être mon visage.

— Ton visage ?

Elle éclata de rire.

— L'air bien sain. Les taches de rousseur et tout ça. La fille idéale de monsieur tout-le-monde. Ce doit être ça qui vous empêche de le faire. (Elle lui jeta à nouveau un regard entendu.) Vous ne saviez pas que vous vous retrouveriez face à une enfant, n'est-ce pas ?

— Non.

— Eh bien, malheureusement pour nous deux, c'est ce que je suis.

Et, sur ce, elle pivota et tomba allongée sur le ventre.

— Est-ce mieux ainsi ?

— Mieux pour quoi ?

— Peut-être devrais-je dire "plus facile". Est-ce plus facile pour vous si vous ne voyez pas mon visage ?

Reardon allait bafouiller quelque chose, mais elle l'interrompit.

— C'est vrai que si je devais voir mon mignon petit visage, moi non plus je n'arriverais pas à m'inonder d'essence.

Puis elle tendit la main, tira les couvertures jusqu'à son menton et roula sur le côté, ne montrant plus à Reardon que sa nuque.

Et elle resta là, dans la même position que lorsque Reardon était entré.

— Et si vous éteigniez la lumière, monsieur Reardon ?

— Pourquoi ferais-je ça ?

— Pour vous faciliter les choses, encore une fois. Dans l'obscurité, vous ne verrez rien que mes cheveux blonds. Et vous pourrez vous figurer qu'ils appartiennent à une femme beaucoup plus âgée. Vous comprenez ?

Reardon ne dit rien.

— Tout cela commence à m'ennuyer, monsieur Reardon.

— Mais qu'est-ce qui se passe ici ?

Lui tournant toujours le dos, elle dit :

— Allez-vous oui ou non m'asperger d'essence et y mettre le feu, monsieur Reardon ?

— On dirait que tu le *souhaites*.

— Je souhaite que vous fassiez ce que *vous* voulez faire, monsieur Reardon. Brûlez-moi ou allez-vous-en. Peu m'importe.

Reardon baissa les yeux sur le bidon d'essence.

— Si vous ne me brûlez pas, monsieur Reardon, votre réputation va en souffrir.

— Quoi ?

— Bien sûr. Les tueurs à gages dépendent grandement de leur réputation, d'après ce que j'en sais. Si vous me faites brûler, vous aurez l'air vraiment féroce. "Ce Reardon ferait n'importe quoi. Il a même mis le feu à une petite fille."

— Comme si tu connaissais le monde des tueurs à gages !

— Plus que vous ne le pensez, monsieur Reardon. (Elle s'interrompit et secoua la tête. Il aurait voulu voir son visage.) Évidemment, d'un autre côté, vous

176

pourriez acquérir une réputation fâcheuse. Les gens réagissent bizarrement lorsqu'il s'agit d'enfants. Dès qu'on fait le moindre mal à un gosse, on commence à vous prendre pour un pervers. Et certains n'aiment pas travailler avec des pervers, vous savez ?

Une fois de plus, Reardon regarda le bidon d'essence.

— Mais si vous ne me brûlez pas, votre cote va chuter.

— Vraiment ?

— Tout à fait. Parce qu'on saura que vous n'êtes pas absolument infaillible. Et on vous offrira des tarifs en rapport avec cette réputation. Seuls les tueurs infaillibles ramassent des fortunes. Du moins, cela me semble logique. Pas à vous, monsieur Reardon ?

Il se pencha.

Ses doigts touchèrent la poignée du bidon.

Cela lui semblait logique.

S'il n'exécutait pas ce contrat, il serait diminué aux yeux d'employeurs potentiels.

Certains voulaient embaucher des hommes capables de tout. Absolument tout.

Ses doigts se refermèrent sur la poignée du bidon.

— Mais dépêchez-vous, monsieur Reardon, d'accord ? Ma mère dit toujours que je supporte mal d'attendre et elle a raison. Tout cela commence à devenir fastidieux. Vous êtes un tueur à gages, monsieur Reardon. Vous êtes censé avoir l'esprit de décision.

Ses doigts enserraient fermement la poignée. Il leva le bidon pour le poser sur sa hanche.

177

Il remit le 7,65 dans son holster.

Il n'avait pas la moindre idée de ce qui se passait ici. Il voulait juste en finir et reprendre l'avion, foutre le camp de cette ville.

— Je suis fière de vous, monsieur Reardon.

Il était en train de lever le bidon pour pouvoir le déboucher.

— Vous allez le faire, n'est-ce pas ?

Reardon ne répondait pas.

— Vous allez m'asperger d'essence, puis jeter une allumette sur moi et quitter la ville aussi vite que possible. C'est bien, monsieur Reardon. Très bien pour vous.

Pouvait-il vraiment le faire ? Vraiment ?

Il pensa à son argent. Cent mille dollars pour remplir ce contrat. S'il se dégonflait, il faudrait rendre la somme qu'il avait déjà reçue. Et il en avait bien besoin.

Il dévissa le bouchon et le mit dans sa poche.

— Je suis prête, monsieur Reardon. Je suis là, allongée, et j'attends.

Il s'approcha du lit.

Plus près. Encore plus près.

L'essence clapotait dans le bidon.

Plus que quelques instants, maintenant.

— Je sais que vous ne voulez pas réellement faire cela, monsieur Reardon, mais j'admire votre sens des affaires.

Vraiment.

Bon sang, si cette petite salope continuait à lui taper sur les nerfs, il finirait par y prendre plaisir.

Il leva le bidon.

— Mise à feu, dit la fille. Mise à feu.

Puis il ramena son bras en arrière, prêt à l'asperger, elle et le lit, avec l'essence, là, dans l'obscurité, et...

Et c'est là qu'il comprit pourquoi les deux fenêtres ouvertes n'avaient pas de moustiquaire.

Sinon, comment les chauves-souris auraient-elles pu entrer ?

Il y en avait six, noires, élancées et velues, fonçant droit sur son cou.

Le bidon alla s'écraser contre le mur.

Puis la pièce, à présent plongée dans d'impéné-trables ténèbres, se mit à puer l'essence.

Son dernier souvenir, au cœur des ombres, fut un éclat de rire.

Quelqu'un riait. Mais pourquoi ?

Reardon se tenait dans l'ombre lorsque la limou-sine s'arrêta près du trottoir. En sortit Janice Evans, désormais la vedette la plus désirée du monde entier.

Cela faisait trois nuits que Reardon la guettait. Il ne tarderait pas à passer à l'action. Bientôt.

Il la vit passer une longue jambe par la portière de la limousine, suivie de son corps aux formes tout aussi élégantes.

La foule qui se massait devant ROOM 504, la nou-velle discothèque branchée de la ville, se mit à crier et à applaudir en la reconnaissant.

Elle tenta de prendre un air humble, ce qui était difficile.

Puis elle disparut, un garde du corps à chaque bras, dans la sueur et la frénésie de la discothèque.

D'après les calculs de Reardon, elle n'en sortirait pas avant deux bonnes heures. Il comptait la suivre jusque chez elle et...

Il traversa la rue et entra dans un snack. Il s'assit à une table d'où il pouvait facilement surveiller la discothèque. La limousine attendait toujours, garée contre le trottoir. Le chauffeur en livrée était adossé au capot et fumait une cigarette. Chaque fois que la porte de la discothèque s'ouvrait, on pouvait entendre une bouffée de musique et des rires.

Les rires lui rappelèrent Jenny O'Shea. La nuit où sa vie entière avait basculé.

Puis une serveuse vint le tirer de ses souvenirs.

— Puis-je vous aider ? fit-elle, les traits tirés par la fatigue.

— Du café. Noir.

— Un hamburger ou autre chose pour l'accompagner ?

La simple idée de nourriture lui donnait la nausée. Même après six mois, il ne s'y était toujours pas habitué. Ne jamais manger. Dormir toute la journée. Mais pas dans un cercueil ou quelque chose comme ça. Une pièce aux rideaux tirés suffisait largement.

Lorsque son café arriva, Reardon revint à ses souvenirs. Cette nuit-là. La petite fille.

C'était un test. Pour savoir s'il était vraiment

l'homme qu'ils cherchaient, un homme prêt à asperger une fillette d'essence et à y mettre le feu.

Ce que, finalement, il s'était montré disposé à accomplir.

La lettre, l'argent, la petite fille, tout était préparé. Pour voir s'il était vraiment capable de le faire.

Parce que s'il le pouvait...

— Il faut que vous compreniez une chose, monsieur Reardon, dit le père de la fillette lorsque les six personnes eurent abandonné leur apparence de chauves-souris pour se rassembler dans la chambre. En tant que groupe, nous sommes des gens maladifs et timorés. Nous avons du travail, des plans à mettre en application, mais il nous faut un homme ou une femme qui le fasse pour nous. Quelqu'un qui ne s'encombre d'aucun scrupule. Et cette nuit, monsieur Reardon, vous vous êtes montré à la hauteur.

Et c'est ainsi que Reardon devint l'un d'entre eux.

Et qu'il se mit à chasser les célébrités.

Ce qui n'était pas de la tarte, même pour un vampire. Mais un tueur à gages pouvait s'approcher assez près pour les blesser – et pendant qu'ils gisaient là, un vampire pouvait se glisser dans la pièce et faire entrer la victime dans le monde des morts vivants.

Les vampires aimaient bien convertir les gens célèbres. Ils tiraient encore plus de plaisir de leur nature en sachant que des vedettes de cinéma, des politiciens, des sportifs de renom étaient des leurs. Et un jour, lorsque les vampires tiendraient tous les postes les plus élevés...

Reardon passa sa main dans la poche de sa veste et toucha le Walther. Son vieux 7,65 ne suffisait plus. Comme le lui avait dit Jenny, qui s'était révélée être une vampire de deux cents ans :

— Maintenant, monsieur Reardon, il va falloir que vous preniez votre tâche au sérieux.

Il tenta de boire une gorgée de café, mais ses crocs s'interposèrent, éraflant le bord de la tasse. Ils lui causaient quelques problèmes d'adaptation.

Il consulta sa montre. Il lui restait encore du temps avant d'aller se poster dans la ruelle pour se préparer au moment où Janice Evans sortirait de la boîte.

Il soupira et se demanda si être un vampire était vraiment une bonne chose. Il n'avait pas eu le choix. Il avait passé un test et avait été sélectionné.

Vingt minutes plus tard, il sortit avec son Walther. Quarante-trois minutes plus tard, il ouvrait le feu et blessait Janice Evans à la hauteur de la hanche.

Peu de temps après, au beau milieu du tumulte qui agitait la discothèque, on put distinguer une chauve-souris au vol quelque peu chancelant.

Non seulement il devait s'habituer à avoir des crocs, mais il fallait aussi qu'il apprenne à voler.

1991
Titre original : Selection Process
Traduit de l'américain par Thomas Bauduret
© Ed Gorman, 1991
Publié pour la première fois par Byron Press Visual
Publications, Inc. Book en 1991

LE RAPACE NOCTURNE
EXTRAIT

*

Stephen King

Dees est reporter à l'Inside View. Son rédacteur en chef lui a demandé d'enquêter sur une série de meurtres particulièrement sanglants qui se sont produits dans divers aérodromes. Le meurtrier est surnommé « le rapace nocturne », car il pilote un avion, un « Skymaster ». Il ne vole et ne tue que la nuit... Dees entame avec lui une course poursuite, lui-même ayant un brevet de pilote. Après plusieurs affrontements dans le ciel avec le redoutable et mystérieux personnage, au cours desquels Dees évite le scratch de justesse, il le rencontre enfin et découvre sa véritable nature...

Le reporter se rappela les événements qui se déroulèrent ensuite avec une précision quasi cinématographique ; mais de ce qui se passa entre l'instant où l'avion s'immobilisa sur la piste de service et celui où il entendit les premiers cris dans le terminal, il ne conserva qu'un souvenir clair : comment il avait fait brusquement demi-tour pour récupérer son appareil photo. Il ne pouvait quitter le Beech sans lui ; le Nikon, qui lui tenait presque lieu de femme, était ce que Dees avait de plus précieux. Il l'avait acheté dans une boutique de Toledo quand il avait dix-sept ans et ne s'en était jamais séparé. Il l'avait complété par de nouveaux objectifs, depuis, mais le boîtier était toujours le même, mis à part les quelques inévitables éraflures, dues à l'âge. Le Nikon attendait dans sa poche en plastique, derrière le siège du pilote. Dees le retira, s'assura qu'il était intact, et se le passa autour du cou avant de se pencher pour franchir l'écoutille.

Il sauta à terre, chancela et faillit tomber, retenant l'appareil photo pour qu'il ne heurtât pas le dallage de béton. Il y eut un dernier et sourd grondement de tonnerre, mais seulement un, cette fois, distant et nullement menaçant. La brise lui effleurait d'une main légère et douce le visage... Mais se révélait beaucoup plus glacée au-dessous de la ceinture. Le reporter grimaça. La façon dont il avait compissé son pantalon quand le Beech avait failli heurter le 727 en plein vol ne figurerait pas non plus dans l'article.

Puis un cri aigu, perçant, même, lui parvint du terminal, un cri où se mêlaient angoisse et horreur. Ce fut comme si on venait de le gifler. Il revint aussitôt à lui-même. Il se mobilisa de nouveau sur son objectif et consulta sa montre. Elle ne fonctionnait plus. C'était une de ces amusantes antiquités à remontoir, et il avait dû oublier de tourner la petite molette.

Le soleil était-il couché ? Il faisait foutrement noir, d'accord, mais avec tous ces cumulus qui se déchiraient et se reformaient autour de l'aérodrome, il était difficile de dire où on en était.

Un autre cri lui parvint – non, pas un cri, un hurlement – accompagné d'un bruit de verre brisé.

Il décida que la question du coucher de soleil était secondaire.

Il courut, ayant vaguement conscience que les réservoirs d'appoint de la génératrice brûlaient toujours et que l'air empestait l'essence. Il essaya d'accélérer, mais il avait l'impression d'allonger sa foulée dans du ciment frais. Le terminal se rapprochait avec une exaspérante lenteur.

— Je vous en supplie, non ! NON, JE VOUS EN SUPPLIE, NON ! JE VOUS EN SUP...

Le hurlement monta en spirale dans le ciel et fut soudain coupé par une vocifération horrible, bestiale. Pas tout à fait inhumaine, cependant, mais c'était peut-être justement ce qu'il avait de plus effroyable. Dans la lumière anémique des lampes de sécurité du terminal, Dees aperçut une masse noire derrière un deuxième vitrage qui se brisait, dans la partie du bâtiment qui faisait face au parking – la paroi était presque entièrement vitrée. La masse sombre en jaillit pour aller s'étaler sur la piste avec un bruit mou ; le reporter vit que c'était un homme.

La tempête s'éloignait, mais les éclairs continuaient à sillonner le ciel à un rythme irrégulier ; au moment où Dees arrivait à hauteur du parking, haletant, il vit enfin l'avion du Rapace Nocturne, l'immatriculation, N 101 BL, audacieusement affichée sur l'empennage. Les lettres et les chiffres paraissaient noirs, dans cette lumière, mais il savait qu'ils étaient rouges, et de toute façon c'était sans importance. Il y avait une pellicule noir et blanc à forte sensibilité dans l'appareil et un flash à déclenchement automatique, lorsque la luminosité était trop faible.

La porte de la soute du Skymaster pendait, grande ouverte, comme la bouche d'un cadavre. Au-dessous, s'étalait un gros tas de boue dans laquelle grouillaient et s'agitaient des choses. Dees l'aperçut, regarda mieux et s'immobilisa. Il était maintenant en proie non seulement à la peur, mais aussi à la joie, une joie sauvage, cabriolante. Quelle chance que tout se soit passé ainsi !

Oui, d'accord, mais ne parlons pas de chance, songea-t-il. *Ne prononçons pas le mot. Ne parlons même pas d'intuition.*

Exact. Ce n'était pas un hasard s'il était resté coincé dans ce trou à rats merdique de motel avec son climatiseur bruyant, ce n'était pas une intuition – pas exactement une intuition, en tout cas – qui l'avait fait se pendre pendant des heures au téléphone, à appeler des aérodromes grands comme des mouchoirs de poche pour leur donner le numéro d'immatriculation du Rapace Nocturne, mais un pur instinct de reporter, qui commençait à payer en ce moment. Sauf que ce n'était pas une vulgaire prime, un petit bénef, mais le gros lot, l'Eldorado, le fabuleux Graal des journalistes !

De précipitation, il faillit s'étrangler avec la courroie de l'appareil photo, lorsqu'il voulut le prendre. Il jura. Se débarrassa de la courroie. Cadra.

Un double hurlement lui parvint du terminal : une femme et un enfant. À peine si Dees les remarqua. L'idée qu'il s'y déroulait un massacre fut suivie immédiatement de celle que le massacre ne ferait que rendre ses articles plus copieux. Puis les deux idées s'évanouirent pendant qu'il prenait quatre photos rapides du Cessna, s'assurant de bien cadrer la porte de la soute et le numéro sur l'empennage. Le moteur de débobinage ronronnait.

Il courut. Encore du verre brisé. Encore un bruit sourd et mou, puis un nouveau corps éjecté sur le béton comme une poupée de chiffon qui aurait été bourrée d'un liquide épais et noir, genre sirop pour la toux. Dees scruta la scène, vit des mouvements confus, le tourbillonnement de quelque chose qui aurait pu être une cape... mais il se tenait encore trop loin. Il se tourna, prit encore deux clichés de l'avion, en gros plan. La soute béante et le tas de boue sortiraient admirablement au tirage.

Enfin, il fit demi-tour et courut vers le terminal. Le fait qu'il n'était armé que d'un Nikon ne lui traversa pas l'esprit.

Il s'arrêta après une dizaine de mètres. Trois corps gisaient sur le sol : deux adultes, un homme et une femme, et celui d'une personne de sexe féminin qui était soit une toute petite femme, soit une adolescente d'environ treize ans. Difficile à dire, quand la tête manque.

Dees prit six clichés rapides, et le flash lança ses éclairs blancs, tandis que le moteur émettait ses brefs ronronnements satisfaits.

Il gardait un compte précis des photos prises. La pellicule comptait trente-six poses ; il l'avait exposée onze fois, il en restait donc vingt-cinq. Il avait bien d'autres films au fond d'une de ses poches, ce qui était parfait... s'il avait le temps de recharger. Il valait mieux cependant ne pas trop compter là-dessus ; dans un contexte comme celui-ci, il fallait mitrailler tant que le sujet en valait la peine. Il était peut-être à un banquet, mais du genre restauration rapide.

Dees atteignit le terminal et ouvrit violemment la porte.

Lui qui croyait avoir tout vu n'avait jamais rien contemplé de semblable. Jamais.

Combien ? gémit une voix dans sa tête. *Combien y en a-t-il ? Six ? Huit ? Une douzaine, peut-être ?*

Impossible à dire. Le Rapace Nocturne avait transformé le petit terminal privé en abattoir. Des cadavres et des fragments humains gisaient un peu partout. Il vit un pied dans une chaussure Converse noire ; le prit en photo. Un buste déchiqueté – clic-clac. Là, gisait un homme en salopette graisseuse encore en vie ; un instant, le reporter eut la délirante impression qu'il s'agissait d'Ezra, le Stupéfiant Mécano Carburant au Gin de Cumberland Airport, mais celui-là ne se contentait pas de perdre ses cheveux ; il avait la tête fracassée verticalement, du front au menton. Le nez, coupé en deux, rappela à Dees, pour quelque raison absurde, une saucisse de Francfort grillée et fendue, prête à être glissée entre deux tranches de pain. Clic-clac.

Et soudain, sans qu'il le contrôlât, quelque chose en lui se rebella et cria : *Ça suffit !* d'une voix impérieuse impossible à ignorer et encore moins à nier.

Ça suffit, on arrête, terminé !

Il vit alors une flèche peinte sur le mur, avec écrit dessous TOILETTES. Dees courut dans cette direction l'appareil photo lui battant la poitrine.

Les toilettes Messieurs se trouvaient être les premières sur son chemin, mais auraient-elles été réservées aux Martiens qu'il y serait tout de même entré. Il pleurait à gros sanglots violents et rauques. Il avait toutes les peines du monde à croire que c'était lui qui émettait ces sons. Cela faisait des années qu'il n'avait pas pleuré – depuis qu'il était môme, en vérité.

Il fonça à travers les portes battantes, dérapa comme un skieur sur le point de perdre l'équilibre et saisit le rebord du deuxième lavabo de la rangée.

Il se pencha dessus et tout le contenu de son estomac gicla en une cataracte puante, rejaillissant en

partie sur son visage et en partie en grumeaux brunâtres sur le miroir. Il eut juste le temps de sentir les
relents du poulet créole qu'il avait mangé, sans lâcher
le téléphone, dans la chambre du motel – juste avant
de mettre dans le mille et de foncer jusqu'à son
avion – avant de vomir de nouveau avec un horrible
bruit râpeux de machine emballée sur le point de
déclarer forfait.

Bordel, pensa-t-il, *bordel de Dieu, c'est pas un
homme, c'est pas possible que ce soit un homme...*

C'est à cet instant qu'il entendit le bruit.

Un bruit qu'il avait déjà entendu des milliers de
fois, un bruit tout à fait courant dans la vie de
n'importe quel Américain... un bruit qui le remplissait pourtant, en ce moment, d'une répulsion et d'une
terreur grandissantes, au-delà de tout ce qu'il avait
pu vivre dans le genre.

Le bruit d'un homme qui soulage sa vessie.

Mais bien qu'il pût voir les trois urinoirs des toilettes dans le miroir constellé de vomissures, personne ne se tenait devant.

Il se dit : *Les vampires n'ont pas de refl...*

Sur quoi il aperçut un liquide rougeâtre qui heur-
tait la porcelaine de l'urinoir du milieu et s'écoulait
avec des tourbillons par les trous de l'évacuation.

Aucun filet d'urine dans l'air ; il ne devenait visible
que lorsqu'il touchait la porcelaine.

C'est alors qu'il se matérialisait.

Le reporter resta pétrifié, les mains soudées au
rebord du lavabo, la bouche, la gorge, le nez et les

sinus encore irrités du goût et de l'odeur âcres du poulet créole, et contempla la chose à la fois prosaïque et incroyable qui se produisait sous ses yeux.

Je regarde un vampire qui pisse, pensa-t-il vaguement.

On aurait dit qu'il n'en finissait pas ; l'urine sanglante venait heurter la porcelaine, devenait visible et tourbillonnait vers la bonde. Dees restait planté là, toujours accroché au lavabo dans lequel il avait vomi, les yeux fixés sur le reflet du miroir, ayant l'impression d'être quelque rouage paralysé à l'intérieur d'une machine en panne.

Je suis un homme mort, ou à peu près, songea-t-il.

Dans le miroir, il vit la poignée chromée s'abaisser d'elle-même. L'eau cascada bruyamment.

Dees entendit un froissement suivi d'un claquement et comprit que c'étaient les mouvements d'une cape... comprit aussi que, s'il se retournait, il pourrait se dispenser du « ou à peu près » de sa dernière pensée. Il ne bougeait toujours pas, les paumes collées au lavabo.

Une voix grave et sans âge s'adressa à lui directement dans son dos. Le propriétaire de cette voix était tellement proche que Dees sentait son haleine froide sur son cou.

— Vous m'avez suivi, dit la voix sans âge.

Dees poussa un gémissement.

— Si, reprit la voix, comme si le reporter venait de nier. Je vous connais, figurez-vous. Je sais tout de

191

vous. Maintenant, écoutez-moi attentivement, mon trop curieux ami, car je ne le répéterai pas : ne me suivez plus.

Dees poussa un nouveau gémissement, une sorte de ululement canin, et sentit du liquide couler de nouveau dans son pantalon.

— Ouvrez votre appareil photo, ordonna la voix sans âge.

Mon film ! se révolta quelque chose en Dees. *Mon film ! C'est tout ce que j'ai ! Tout ce que j'ai ! Mes photos !*

Nouveau claquement sec d'ailes de chauve-souris géante. La cape. Dees avait beau ne rien voir, il sentait que le Rapace Nocturne s'était encore rapproché.

— Tout de suite.

Non, son film n'était pas tout ce qu'il avait.

Il avait aussi sa vie.

Telle qu'elle était.

Il se représenta faisant brusquement demi-tour et voyant ce que le miroir était incapable de lui montrer ; se représenta découvrant le Rapace Nocturne, son ami chiroptérien, monstre grotesque constellé de sang, de fragments de chair et de cheveux arrachés ; il se représenta tirant cliché après cliché tandis que ronronnait le moteur de débobinage... mais il n'y aurait rien sur la pellicule.

Rien du tout.

Parce qu'on ne pouvait pas les photographier non plus.

— Vous existez vraiment, croassa-t-il, toujours sans bouger, comme s'il ne pouvait décidément pas détacher ses mains du lavabo.

— Vous aussi, fit la voix râpeuse et sans âge. (Dees crut sentir des effluves de cryptes anciennes, et de tombeaux scellés dans son haleine.) Du moins, pour le moment. Ceci est votre dernière chance, mon ex-futur biographe trop curieux. Ouvrez cet appareil... ou c'est moi qui vais le faire.

D'une main qui lui paraissait totalement engourdie, Dees ouvrit le Nikon.

De l'air effleura son visage glacé ; on aurait dit qu'il était chargé de lames de rasoir. Un instant, il vit une longue main blanche striée de sang, des ongles déchiquetés et soutachés de crasse.

Puis le film sortit de l'appareil et se déroula mollement.

Il y eut un autre claquement sec, une autre bouffée d'haleine puante. Un instant, le reporter crut que le Rapace Nocturne allait tout de même le tuer. Finalement, toujours dans le miroir, il aperçut la porte des toilettes qui s'ouvrait toute seule.

Il n'a pas besoin de moi, pensa Dees. *Il doit avoir bu tout son soûl ce soir.* Il vomit derechef, cette fois-ci directement sur le reflet de son visage hagard.

La porte se referma, dans le sifflement feutré du groom.

Dees resta exactement là où il se trouvait pendant les trois minutes suivantes, environ ; y resta jusqu'à ce que le ululement des sirènes atteignît le terminal ; y resta jusqu'à ce qu'il entendît la toux suivie de grondements d'un moteur d'avion qui démarrait.

Le moteur d'un Cessna Skymaster 337, très certainement.

Puis il sortit des toilettes, les jambes raides comme des échasses, heurta le mur opposé du corridor, rebondit dessus et retourna dans le hall du terminal. Il glissa sur une flaque de sang et faillit s'étaler.

— Ne bougez pas, monsieur ! cria un flic derrière lui, à pleins poumons. Ne bougez pas d'ici ! Un mouvement, et vous êtes mort !

Dees ne tenta même pas de se tourner.

— Je suis journaliste, tête de nœud, dit-il, exhibant son appareil photo d'une main et sa carte de presse de l'autre.

Il s'avança jusqu'aux vitres brisées, le film voilé pendant toujours du boîtier du Nikon comme un long serpentin brun, et regarda le Cessna qui accélérait sur la piste 5. Un moment, ce ne fut qu'une forme noire se détachant sur les flammes tourbillonnantes du générateur et de ses réservoirs d'appoint, une forme qui ressemblait étrangement à une chauve-souris ; puis l'avion fut en l'air et disparut presque aussitôt tandis que le flic collait si brutalement le reporter au mur que son nez se mit à saigner. Mais il s'en fichait, il se fichait d'ailleurs de tout, et quand les sanglots réussirent à franchir la boule qu'il avait dans la gorge et à éclater de nouveau, il ferma les yeux. Il revit alors l'urine ensanglantée du Rapace Nocturne heurtant la porcelaine, devenant visible et tourbillonnant dans l'évacuation.

Il songea qu'il allait la voir jusqu'à la fin de ses jours.

1993
Titre original : The Night Flier
Traduit de l'américain par William Olivier Desmond
© Stephen King, 1993
© Éditions Albin Michel S.A., 1994,
pour la traduction française

LE CHOC

*

Sarah K.

L'effet de l'alcool ? Non. Elle n'avait pas pris d'apéritif et n'avait bu pour l'instant que deux ou trois gorgées de ce merveilleux bordeaux qu'on venait de lui servir pour accompagner la salade de noix de Saint-Jacques. (Le sommelier, considérant son choix comme une hérésie, lui avait recommandé du vin blanc, idéal pour relever la saveur des fruits de mer, mais au risque de passer pour une rustre égarée parmi la clientèle de ce restaurant huppé, Lucie n'avait pas tenu compte de son conseil.)

Elle se plaisait à déguster lentement sa boisson, la sirotant par petites goulées attentives, se bornant par moments à en imprégner simplement ses lèvres. Pour elle, qui appréciait peu le vin d'ordinaire, celui-ci était un pur nectar. Il enveloppait la langue, le palais, la bouche tout entière des diverses nuances de son bouquet qui se distillaient ensuite dans la gorge en une

197

saveur durable et persistante. Il était tout à la fois sucré, acide et amer. La consistance en était parfaite : légère, fluide. Il n'était pas jusqu'à sa couleur qui ne fût remarquable : un rouge sombre et intense teintait le fond du verre, puis se déclinait en un dégradé plus clair sur les parois, tapissées par des gouttes aussi fines que des larmes.

On eût dit du sang.

Si Lucie comptait boire sans restriction pendant le repas – elle avait davantage soif que faim - elle était toutefois consciente que ces quelques milligrammes d'alcool qui lui chauffaient les veines n'étaient pas seuls responsables de la sensation de bien-être qu'elle éprouvait.

Elle avait plaisir à se trouver là, dans ce restaurant. En tête-à-tête avec cet homme. Dès les premières secondes, dès qu'elle eut franchi le seuil de la salle – lui l'attendait déjà – elle eut la certitude que la soirée serait réussie. Mieux, qu'elle se révèlerait capitale pour elle. Un tournant dans sa vie. Elle avait pourtant rechigné à accepter ce rendez-vous et ne l'avait honoré que sous la contrainte. L'idée venait de Mina. Mina qui, depuis des années, s'obstinait à vouloir peupler le désert affectif qui caractérisait la vie de Lucie.

Quelques mois auparavant, elle s'était mis en tête de retrouver une partie de leurs amis d'enfance. Elle avait créé un blog sur Internet, obtenu une liste de contacts et avait ainsi reconstitué en partie la classe de première de leur lycée.

— Tu devineras jamais qui m'a répondu ! lui avait-elle annoncé un soir au téléphone.

— Non, effectivement, je ne devinerai jamais, alors autant me le dire tout de suite !

— Jocelyn Lemaistre.

— ...

— Lucie ? T'es toujours là ? Tu m'as entendue ? Tu te rappelles de Jocelyn ?

Oui. Lucie était là. Oui, Lucie l'avait entendue. Et oui, Lucie se souvenait de Jocelyn Lemaistre. Le nom était resté gravé dans un coin de sa mémoire. Dans un coin de son cœur également, en dépit des quinze ans qui s'étaient écoulés depuis.

— Oh ! Mina ! soupira-t-elle en s'efforçant de masquer son émotion. C'est tellement vieux tout ça, on était des gamines. Déjà, à l'époque, il ne daignait pas me jeter un regard, alors maintenant, tu penses !

Sans tenir compte des protestations de Lucie, Mina, prenant à cœur sa mission d'entremetteuse, avait organisé ce dîner.

Les heures précédant le rendez-vous avaient été abominables. Incapable de se concentrer sur son travail, Lucie avait été prise en flagrant délit de rêverie au cours d'une réunion importante. Le regard perdu dans le vide, mordillant le capuchon de son stylo, elle avait été rappelée à l'ordre par son supérieur. Elle s'était ainsi retrouvée dans la même situation que quinze ans auparavant, lorsque, trop émue par la seule proximité de Jocelyn, assis derrière elle en classe, elle était incapable d'écouter les cours et se faisait sanctionner par les professeurs.

Au moment de se préparer, elle avait frôlé la crise de nerfs : elle n'avait l'air de rien avec cette robe noire, achetée pourtant pour la circonstance à un prix exorbitant ! Pourquoi donc avait-elle choisi ce modèle sans manches qui découvrait ses bras trop minces, d'un blanc si laiteux qu'on pouvait deviner en transparence le réseau bleuâtre de ses veines ? Les essais de maquillage ? Désastreux. La poudre auto-bronzante ne parvenait pas à vaincre la lividité de son teint, l'anti-cernes ne masquait en rien les hideuses auréoles brunâtres qui ombraient ses yeux et leur donnaient un regard languide, d'une tristesse à mourir. Par contraste, ses lèvres prenaient une teinte prune bien trop prononcée. Aucun rouge à lèvres, pour coûteux qu'il fût, ne parviendrait à l'atténuer, Lucie le savait par avance. Désespérée face à son miroir, elle avait l'impression que celui-ci lui renvoyait l'image d'un spectre.

Oh ! Elle aurait tant aimé rester tranquillement chez elle, seule comme d'habitude, à traîner dans sa vieille robe de chambre élimée, pieds nus, le cheveu gras, et grignoter un plateau-télé devant un programme dénué d'intérêt qui l'aurait suffisamment abrutie pour l'endormir.

De quoi va-t-on bien pouvoir parler ? On va s'échanger les traditionnels "Alors, qu'est-ce que tu deviens ?" Il va m'annoncer qu'il est marié ! Il va me montrer la photo de sa femme et de ses enfants ! Avec un peu de

chance, il m'invitera à un barbecue en famille diman-
che prochain. Quelle horreur ! Il va y avoir des blancs,
des silences gênés. Je vais bégayer, glousser comme une
idiote pour tenter de conjurer mon embarras.

Or rien de tout cela ne se produisit. Pas d'échanges
de banalités. Pas de photo de famille – Jocelyn était
célibataire.. Pas de blancs. Pas le moindre silence
gêné. C'était comme si, renouant avec leur adoles-
cence, les jeunes gens ne s'étaient quittés que le temps
des vacances d'été. Ils parlaient sans trêve, avaient
une foule de choses à se raconter, à se confier, le ton
de leur conversation était naturel. Mais il y avait surtout cette "chose"... Comment la définir précisément ? Lucie ne trouvait pas le terme adéquate. Un
contact ? Une connexion ? L'effet à retardement de
ce coup de foudre amorcé quinze ans auparavant ?...
Lucie lisait dans les yeux de Jocelyn comme dans un
livre. Étonnement, admiration, fascination, attirance.
Voilà ce que traduisait le regard de son compagnon.
Plus étrange encore, elle l'entendait penser. Oui, une
voix chuchotait à son oreille, un murmure clair, dis-
tinct, et si excitant !

"J'aime la pâleur de ta peau. J'aime ces cernes qui
accentuent le mystère de ton regard. J'aime le rouge
de tes lèvres. Et ce noir, qui souligne l'évanescence
de ta silhouette, te va à ravir. Quel idiot j'ai été de
ne pas saisir ma chance au lycée, quand nous étions
jeunes !" Ce à quoi Lucie brûlait de répondre : "Peu
importe, nous avons tout le temps nécessaire pour
construire une relation. L'éternité s'offre à nous."

Pourtant la métamorphose de Lucie n'était encore que balbutiante. Plus les minutes s'égrenaient, plus elle se débarrassait de ce carcan de timidité qui l'avait toujours emprisonnée, de cette excessive réserve qui la contraignait à vivre en solitaire. Jocelyn la désirait, et elle le désirait en retour. Oh ! Oui, elle se sentait tout à coup prise d'un appétit sexuel qu'elle n'avait jamais éprouvé jusque-là. Elle avait envie de goûter aux lèvres de son compagnon, à sa peau, d'y mordre à pleines dents, de s'en régaler autant que du vin. Elle l'aurait volontiers... "dévoré".

Mais non. Pas tout de suite, en tout cas. Un peu de tenue !

Ce restaurant chic n'était pas l'endroit idéal pour se transformer en cannibale. Mieux valait, en premier lieu, satisfaire son appétit avec le plat qu'on venait de leur servir. Une "choucroute de la mer". Lucie n'avait pas du tout faim, mais Jocelyn lui ayant recommandé ce choix – un vrai délice, avait-il assuré – elle s'efforça de manger.

Or, à la minute où elle avala la première bouchée, le charme fut rompu. Avec une brutalité sidérante. Tout bascula. Le rêve vira au cauchemar. Lucie fut prise de vertige. Elle ne vit plus un Jocelyn en face d'elle, mais deux. Le brouhaha de la salle se transforma en un tintamarre épouvantable qui lui vrillait les tympans, résonnait en écho et lui martelait les tempes comme de monstrueux coups de cymbale. Elle avait l'impression que son estomac remontait dans sa gorge, qu'elle allait l'expulser telle une vulgaire poche de fiel. L'air lui manquait. Elle porta la main à son cou en un geste angoissé, comme si elle tentait d'empêcher un agresseur invisible de l'étrangler. Sa gorge enflait, enflait... elle suffoquait. Lucie tendit les bras vers Jocelyn. Il fallait qu'il l'aide ! Qu'il réagisse ! Vite ! Vite ! Ne voyait-il donc pas qu'elle s'asphyxiait ? Elle finit par agripper la gorge de son compagnon, essayant ainsi de lui faire comprendre sa douleur. Or Jocelyn ne bougeait pas. Il avait l'air paralysé. Il avait eu tout d'abord une simple expression d'inquiétude lorsque Lucie avait commencé à se sentir mal : "Quoi ? Tu n'aimes pas ? Ce n'est pas frais ?" Puis l'inquiétude avait fait place à l'horreur. Il semblait ne plus reconnaître Lucie, il semblait avoir peur d'elle, être terrifié par sa présence. Il écarta les mains de la jeune femme avec brutalité et dégoût, comme il se serait débarrassé des pattes d'une araignée rampant sur son cou. Et malgré la douleur, malgré la panique qui l'envahissait, Lucie eut un sursaut de conscience, elle se dit qu'effectivement, elle devait avoir un visage épouvantable. Elle sentait de gros filets de transpiration ruisseler sur son front, ses paupières, son maquillage devait probablement couler, tracer des sillons noirâtres sur ses joues, sa figure devait être grimaçante, monstrueuse. Mais quelle importance ? Quelle importance en regard de ce qu'elle éprouvait ! Elle était en train d'étouffer ! Elle était en train de mourir !!!

Un grand voile noir se tissa soudain devant ses yeux. Un rideau qui la coupa du monde. Plus de

Jocelyn. Plus de restaurant. Plus rien. Juste les ténèbres dans lesquelles Lucie sombra, aussi violemment que si elle chutait dans un précipice.

Soif. Soif.
Lucie se réveilla avec cette idée fixe en tête. Jamais elle n'avait eu une telle envie de boire. Elle avait l'impression d'avoir traversé un désert des heures durant sous un soleil de plomb. Elle en avait mal à la gorge, ses lèvres étaient aussi desséchées que du carton pâte, prêtes, lui semblait-il, à se désagréger, à tomber en lambeaux.

À boire. À boire.
Lucie tenta de se redresser, mais un vertige l'en empêcha et la contraignit à se rallonger. Elle prit alors conscience qu'elle se trouvait à l'hôpital. Mina était là, près d'elle, endormie sur un fauteuil.

— Hé ! Salut ! dit celle-ci en ouvrant les yeux. Contente de te voir de retour parmi les vivants !

L'expression renfrognée de Lucie signifia à Mina que sa plaisanterie n'était pas du meilleur goût.

— Tu as fait un choc allergique, expliqua aussitôt Mina pour la rassurer. Ç'aurait pu être très grave, mais heureusement, tu t'en es sortie.

Lucie ne dit rien pendant un instant, le temps de se remémorer ce qui s'était passé. Le dîner, au restaurant. Jocelyn. Le malaise. Elle parvint peu à peu à reconstituer les événements de la soirée. Mais quand était-ce exactement ? Une heure auparavant ? Deux ? Une semaine ? Un mois ?

— Depuis quand je suis dans cette chambre ? demanda-t-elle.

— Hier soir. Le Samu t'a transportée directement du restaurant jusqu'ici.

Lucie tourna la tête vers la fenêtre. Il faisait nuit dehors.

— J'ai donc été inconsciente toute la journée ?

— Exact.

— Bon, maintenant je vais bien. Je veux sortir, déclara Lucie en se levant.

— Hé là ! Doucement ! Un choc allergique aussi spectaculaire, ce n'est pas à prendre à la légère. Tu as failli y passer. Les médecins veulent te garder encore quelques jours, ils font des examens pour déterminer la cause de l'allergie. Après seulement, tu...

— Et Jocelyn ? demanda Lucie avant que Mina termine sa phrase.

— Eh bien... Euh... C'est lui qui m'a prévenue hier soir, je suis venue tout de suite après son coup de fil.

— Et lui, il est parti quand tu es arrivée ?

— Oui.

— Il a rappelé depuis pour avoir de mes nouvelles ?

— Je ne sais pas... Sûrement... Je n'ai pas allumé mon portable, tu sais bien que c'est interdit dans les hôp...

— D'accord, j'ai compris, la coupa Lucie.

En dépit des efforts de Mina pour ne pas la heurter, Lucie avait deviné qu'elle mentait. Incapable d'être sevrée de son portable plus d'une heure, Mina avait certainement consulté sa messagerie à plusieurs reprises. Sans compter qu'en toute logique, il revenait à Jocelyn de veiller Lucie, de rester à son chevet, après ce qui s'était passé au restaurant. Au lieu de cela, il avait appelé au secours la bonne copine et s'était ainsi débarrassé du fardeau.

— Tu peux rentrer chez toi, Mina.

— Mais...

— Je me sens parfaitement bien, tu n'as aucune inquiétude à avoir, renchérit Lucie.

Et c'était vrai. A l'exception de cette soif qui la tenaillait toujours, elle se sentait en pleine forme. Pas de chagrin. Pas d'humeur morose. Pas de regrets concernant Jocelyn et ce qu'elle avait espéré au restaurant. Sa solitude affective ne lui pesait plus. Elle savait – d'instinct, sans se l'expliquer – que dorénavant, elle trouverait d'autres compagnons, d'autres partenaires, Jocelyn se perdait parmi une foule innombrable. Mais pour l'heure, elle avait envie d'être seule.

— Fiche le camp, Mina !

Ce ton, sec, autoritaire, désagréable, surprit Lucie elle-même, mais elle ne revint pas sur ses paroles.

— Bon, bon, comme tu voudras...

Mina n'osa pas insister. Elle prit congé, se retourna cependant sur le seuil de la porte, observant son amie une dernière fois sans que celle-ci, de son côté, ne daigne la gratifier du moindre regard. Il y avait quelque chose de changé chez Lucie. C'était étrange. Rien de grave, finit par se persuader Mina, rien d'autre que la conséquence de sa santé altérée pour le moment.

Une fois seule, Lucie sonna et réclama un verre d'eau à l'infirmière qui vint la trouver.

— Alors, ça va mieux, on dirait ! s'exclama celle-ci sans prendre en compte sa demande. Vous nous avez fait peur ! Un choc allergique, ensuite, vous restez inconsciente toute une journée !... Bon, les médecins y verront un peu plus clair demain avec les premiers résultats d'examen.

Tais-toi ! Épargne-moi ton baratin ! Tu me saoules ! T'as pas entendu ce que j'ai dit ? J'ai soif ! J'ai soif !

Lucie dut prendre sur elle pour ne pas laisser échapper ces mots. Ils étaient si durs, si directs. Elle aurait aimé les prononcer sans détour, elle qui pourtant n'avait pas l'habitude de s'exprimer dans un langage aussi cru.

L'infirmière lui tendit un thermomètre qu'elle avait extirpé de sa poche.

— S'il vous plaît, insista Lucie prenant à dessein une petite voix suppliante, pourrais-je avoir un verre d'eau avant ? Je meurs littéralement de soif !

Sa requête fut enfin satisfaite. L'infirmière s'éclipsa et revint avec un gobelet. Mais à peine Lucie y trempa-t-elle les lèvres qu'elle fut prise d'un haut-le-cœur. L'eau avait à la fois un goût de métal et de plastique, c'était dégoûtant, écœurant, ça lui soulevait l'estomac.

Nouvel effort pour ne rien laisser paraître de cette amorce de malaise. Thermomètre en main, telle une arme menaçante, l'infirmière surveillait Lucie. Si jamais elle constatait qu'une goutte d'eau lui mettait les intestins en révolution, elle en aviserait les médecins et le séjour de Lucie à l'hôpital s'en trouverait prolongé. Feignant la docilité, la jeune patiente reposa le verre d'eau et prit le thermomètre.

Alors quoi ? Tu vas rester là, à me regarder, pendant que j'ai ce truc enfoncé en moi comme l'aiguillon d'un pieu ?

Tiens, prends-le, ton putain de thermomètre, et fous le camp ! Débarrasse le plancher ! Laisse-moi seule !

Une nouvelle fois, elle eut envie d'exprimer clairement ses sentiments, d'utiliser ce langage grossier qui n'avait jamais été le sien jusque-là, mais qui lui venait spontanément à l'esprit.

Cependant, si elle avait évité un écueil en dissimulant son malaise et ses pensées, elle buta sur un autre.

— Comment se fait-il que votre température soit aussi basse ? s'inquiéta l'infirmière après avoir consulté le thermomètre. Surtout, reposez-vous ! Essayez de dormir et si jamais vous avez besoin de quoi que ce soit, ne bougez pas, sonnez !

C'est ça ! Dégage ! DÉGAGE !

Lucie attendit quelques brefs instants après le départ de l'infirmière. Elle se leva et, sur la pointe des pieds, s'aventura dans le couloir. Personne. L'infirmière avait probablement été appelée auprès d'un autre malade. Tant mieux.

Soif. Soif.

Ces deux mots guidèrent Lucie dans la pénombre

du couloir, comme si, écrits en lettres lumineuses, ils traçaient un chemin devant elle. Elle voulait boire. Mais pas de l'eau. Non. Ce qu'elle voulait, ce que son corps réclamait à grands cris, c'était ce bordeaux divin auquel elle avait goûté la veille, au restaurant. Seul souvenir agréable qu'elle gardait de cette soirée. Tout le reste s'était effacé. Peu lui importait Jocelyn, son désir pour elle, l'espoir qu'il avait fait naître à propos d'une éventuelle relation amoureuse, si Lucie n'avait pas fait ce malaise. Seul le vin l'obsédait. Oh ! Elle savait bien qu'elle ne trouverait pas une boisson aussi raffinée au sein de l'hôpital, mais au moins quelque chose d'approchant.

Du rouge.

Même de mauvaise qualité. Elle allait bien en dégotter quelque part. Le personnel soignant ne puisait pas son énergie uniquement dans de l'eau. À d'autres ! Le box des infirmières étant désert, elle le fouilla dans l'espoir de dénicher un plateau repas qu'on aurait laissé traîner, agrémenté d'une de ces petites bouteilles de vin en plastique qu'on avait l'habitude de servir dans les restaurants d'entreprise et qui ferait l'affaire pour l'instant. En vain.

Lucie quitta alors l'étage où elle se trouvait et poursuivit ses investigations. Un panneau indiquait une cafétéria au rez-de-chaussée. Elle s'y rendit. La trouva fermée.

Elle s'aventura plus avant dans l'hôpital silencieux. Elle prenait goût à cette promenade nocturne. Elle n'était vêtue que de la blouse fournie par l'Assistance publique, autant dire rien. Elle était presque nue, mais n'avait pas froid pour autant. Et elle marchait vite, se déplaçait sans le moindre effort, comme si elle glissait sur le sol. Elle avait quasiment la sensation de voler et n'éprouvait pas l'ombre d'une appréhension. Non seulement elle se sentait prête à tenir tête à quiconque oserait, en la croisant, contrecarrer ses projets, mais surtout, elle appréciait cette ambiance si particulière qui caractérisait l'hôpital au plus profond de la nuit.

La présence de la mort.

Son souffle.

Elle le sentait. Le respirait.

Et l'exhalait.

Ses pas la conduisirent aux urgences. Là, dans les couloirs, se trouvaient des corps allongés sur des brancards. En attente. En attente de quoi ? Pour certains, il n'y avait déjà plus rien à espérer.

Lucie s'éloigna des urgences et franchit le seuil d'une chambre, à proximité, dont la porte était entrouverte. Une patiente y était alitée. Elle avait l'air de souffrir beaucoup. Elle avait beau sonner, elle n'obtenait aucune réponse de l'infirmière du service, trop sollicitée par ailleurs. Lucie s'approcha d'elle, passa sa main sur son front brûlant de fièvre et elle constata avec joie que ce seul contact suffit à apporter quelque soulagement à la douleur de la malheureuse. C'était bon, n'est-ce pas, cette main glacée sur le feu de la fièvre ? Elle murmura à l'oreille de la malade des paroles de réconfort. Sa voix était douce et ferme.

210

Il n'y a aucune inquiétude à avoir, aucune raison d'avoir peur. La mort n'est qu'un passage. La mort n'est qu'un début. Juste une porte qu'on ouvre... Lucie plongea ensuite ses yeux dans ceux de la mourante et par la seule force de son regard, elle parvint à les lui fermer, la guidant doucement vers un autre monde.

Elle fut récompensée de son œuvre de charité, car elle trouva enfin ce qu'elle cherchait. Là, accrochée à la perche de la perfusion, près du lit, se trouvait une poche entière d'un liquide d'une magnifique couleur rouge, si sombre, si intense ! Sa consistance était parfaite, épaisse et fluide tout à la fois. Lucie arracha le tuyau de plastique qui reliait la perfusion au bras du cadavre et le porta à sa bouche, telle une paille qui lui permit de siroter lentement le sublime breuvage. Oh ! C'était encore plus divin que le bordeaux servi la veille au restaurant. Ce nectar aurait mérité une coupe de cristal au lieu de cette horrible poche en plastique. Mais qu'importait ! Un modeste récipient en fer n'avait-il pas recueilli, à l'époque, le Saint-Graal ? Sans que ses vertus d'immortalité en fussent amoindries.

Le Saint-Graal ! Oui, c'était un breuvage aussi légendaire que Lucie absorbait ! En buvant ce sang, elle accédait à l'immortalité !

Et que dire du goût ? Sucre. Amertume. Acidité. Les trois saveurs essentielles se mêlaient d'une exquise façon. Sucre sur l'extrémité de la langue, amertume sur les bords latéraux du palais, et acidité à l'arrière de la gorge. Au fur et à mesure qu'elle buvait, Lucie sentait une chaleur intense irradier tous ses membres, une multitude de courants électriques parcouraient le réseau de ses veines, couraient à travers son corps, y diffusant de petites décharges qui provoquaient des picotements jusqu'au bout de ses ongles, jusqu'à la racine de ses cheveux. Quel plaisir ! Quelle jouissance !

Lucie but. But à satiété. Jusqu'à ce qu'elle fût repue. Elle regagna alors sa chambre. Le jour se levait déjà. Il était temps pour elle de se coucher et de dormir.

« Vous êtes sûre que votre collègue n'a pas fait une erreur cette nuit en notant sa température ? Elle a inscrit 34,2 ! C'est aberrant !... Augmentez la dose de Prednisone... Depuis combien de temps est-elle endormie ? C'est incompréhensible, cette léthargie soudaine... Je vois que les résultats des premiers tests sont négatifs, elle n'a donc pas fait d'allergie aux fruits de mer. Il faut pousser plus avant les investigations... Demandez aux admissions le numéro de téléphone de la personne qui l'accompagnait lorsqu'elle s'est trouvée mal. Je veux la voir... Et envoyez d'ores et déjà quelqu'un au restaurant pour interroger le chef sur la composition précise du plat qui a été servi ce soir-là à la patiente... Il y a forcément quelque chose qui nous a échappé... Elle n'a pas de famille proche ? Juste cette amie, Mlle Mina Kerhar ? Convoquez-la également, elle nous renseignera sur ses habitudes... Faites une autre prise de sang. La numération sanguine est anormale. Lorsqu'elle est arrivée, son taux d'hémoglobine était de sept grammes, elle était anémiée, et maintenant le taux a grimpé en flèche jusqu'à quatorze grammes, soit bien au-dessus de la norme. Elle nous fait carrément une polyglobuline. Dix millions de globules rouges ! Soit il y a une erreur du labo, soit... je ne sais pas, mais en tout cas, ça n'a rien à voir avec le choc anaphylactique... »

Jolie voix. Douce, bien qu'autoritaire. Le chef du service ? L'interne de garde ? Lucie opta pour la deuxième hypothèse. La voix était jeune. Elle l'entendait parfaitement dans son sommeil. Elle aurait bien aimé ouvrir les yeux pour voir ce jeune médecin, vérifier si ce qu'elle imaginait de lui correspondait bien à la réalité. Elle s'amusa à en dresser un portrait. La trentaine environ. Des yeux bleus, une peau assez mate, des cheveux châtain, plutôt longs. Assez grand, pas trop. Mince, portant avec élégance la blouse blanche qui dissimulait par ailleurs une tenue négligée, un jean délavé et un simple T-shirt noir. Oh ! Pourquoi ne se réveillait-elle pas ? L'image qu'elle se faisait du jeune médecin était si précise, autant qu'une photo. Et cette attirance qu'elle éprouvait pour lui, était-elle réciproque ?... Impossible de vaincre les brumes du sommeil qui immobilisaient son corps à la manière d'un enchantement – mais pas son cerveau, pas ses perceptions. Les propos échangés dans la pièce étaient comme filtrés, elle n'entendait que les paroles du médecin, les réponses de l'infirmière et des personnes qui l'entouraient lui échappaient. Qui étaient ces personnes ? Des externes ? Des collègues ? Son cas était-il donc aussi intéressant ?

Oh ! Un silence, tout à coup. Puis un bruit de pas. Ceux de l'infirmière. Ceux des autres. En direction de la porte. Ils s'en vont. Le jeune médecin reste seul dans la chambre. Il s'approche du lit. Se penche au-dessus d'elle. Lucie perçoit son souffle, son haleine, légèrement mentholée. Il a dû sucer une pastille ou un bonbon pour dissimuler les relents de nicotine. Oh ! Ce n'est pas bien de fumer, cher docteur ! Le tabac tue ! Mais cette haleine est néanmoins agréable. Très agréable. Si seulement elle pouvait se réveiller !... Ah ! Elle parvient tout de même à bouger. Juste un peu, de façon à faire glisser le drap et découvrir son épaule, la naissance d'un sein. Le regard du médecin caresse sa peau. Lucie le sait. Lucie le sent. Elle entend le rythme de sa respiration qui s'accélère.

C'est excitant, cette peau couleur d'albâtre, pas vrai ? Et cette pâleur sur mes joues ? Allez ! Oublie la médecine ! Oublie la science ! Ne t'interroge plus et laisse-toi aller ! Approche ! Approche encore ! Plus près ! Oui, c'est ça !

Malgré ses yeux toujours fermés, Lucie voit distinctement le visage du médecin penché au-dessus d'elle. Elle discerne surtout cette veine, là, sur son cou, gonflée, palpitante, gorgée, saturée de sang. Oh ! Y passer la langue, y planter les dents pour boire directement à la source. Ce serait tellement plus agréable, plus romantique que l'horrible tuyau en plastique à l'aide duquel elle s'est nourrie la veille.

Mais le jeune médecin se redressa brusquement et partit sans aller au bout du geste qu'il avait pourtant amorcé.

Dommage. Plus tard, peut-être. Serait-il de garde, cette nuit ? Viendrait-il la voir ? Lucie l'espérait de tout cœur.

Malheureusement, une fois la nuit venue, lorsqu'elle s'éveilla, l'infirmière l'informa que le Dr Hels – tel était son nom – avait terminé son service. Il ne reprendrait qu'à six heures le lendemain matin. Elle lui confirma qu'il s'inquiétait pour elle. À l'inverse de ses confrères qui préconisaient une sortie prochaine, il ne voulait rien savoir et désirait la garder encore.

Ah ?... Lucie se sentit légèrement contrariée. Le Dr Hels et elle seraient-ils condamnés à se croiser ? Quelle frustration !

Cependant la perspective de se nourrir revigora Lucie. Comme la nuit précédente, elle déambula dans l'hôpital. Mais pas au hasard. Cette fois, elle savait où et comment se procurer son nectar. L'hôpital en regorgeait.

Elle but à nouveau. Elle but encore. Jusqu'à plus soif.

L'hôpital fut bientôt en alerte. Les décès suspects se succédaient. Une enquête fut lancée, on soupçonnait un membre du personnel de pratiquer une nouvelle forme d'euthanasie, doublée d'un trafic de sang. Car, oui, le sang disparaissait, par poches entières. Des litres et des litres d'hémoglobine. Des bruits couraient, cette sombre histoire se colportait d'un service à l'autre, créant un désagréable climat de suspicion.

Comme tout le monde, le Dr Hels ne manquait pas d'en discuter avec ses collègues, partageant leur inquiétude. Toutefois, en son for intérieur, il était persuadé que ce mystérieux "voleur de sang" était étranger au personnel. Dès qu'il avait un moment, il se rendait dans la chambre 122, y étudiait à nouveau les résultats d'examens, les courbes de température, il établissait des comparaisons, échafaudait des hypothèses multiples, sans arriver à une conclusion satisfaisante. Il demeurait alors immobile, rêveur, à observer l'étrange et inexplicable sommeil de sa patiente. Sa pâleur. Ses lèvres dont il avait remarqué que le rouge, si vif le matin, s'atténuait au fil de la journée. Il se demandait soudain si... Des idées saugrenues, extravagantes, indignes du jeune médecin plein d'avenir qu'il était, lui traversaient l'esprit malgré lui. Il s'empressait de les chasser et s'en retournait travailler.

Au bout de quelques jours cependant, la direction somma le Dr Hels de renvoyer chez elle Mlle Lucie Rawestern afin de libérer la chambre 122. Ses analyses étant revenues à la normale, il n'y avait plus aucune raison de la garder. Le Dr Hels s'y opposa vivement, il réclama un délai supplémentaire, un jour ou deux, guère plus, le temps d'avoir les résultats des

216

examens complémentaires qu'il venait de pratiquer : il était dangereux de renvoyer la patiente sans avoir trouvé la cause exacte de son allergie, elle avait tout de même failli mourir ! Certes, son taux d'hémoglobine ne fluctuait plus, il demeurait stable, mais cette forme de narcolepsie dont elle souffrait, puisqu'elle dormait sans discontinuer toute la journée, était tout à fait anormale.

Il eut beau faire, il n'obtint pas gain de cause. On lui rétorqua que la réputation de l'hôpital serait gravement remise en cause si jamais l'affaire des décès suspects venait à être connue du grand public et que, tant que les malades se présentaient, il fallait enregistrer un maximum d'admissions. Qu'il adresse donc sa patiente à un médecin en ville. D'ailleurs, lui-même n'assurait-il pas un remplacement, dans un cabinet privé, deux jours par semaine ? Il n'avait qu'à lui fixer rendez-vous.

Le Dr Hels se replia sur cette solution de secours et appela séance tenante Mina Kerhar, l'amie de la malade. Rendez-vous fut donc pris pour Lucie le trente et un octobre, à quinze heures, soit une semaine plus tard.

Lorsque Lucie quitta l'hôpital, le Dr Hels ne voulut pas assister à son départ. On lui apprit que pour la circonstance, on l'avait mise sur un fauteuil roulant, car elle dormait. Oui, à midi, elle dormait encore à poings fermés. Quelle honte pour l'hôpital de se débarrasser ainsi d'une malade qui n'avait pas recouvré ses forces ! Il s'en excuserait auprès d'elle lorsqu'il la verrait.

Mais il n'en eut pas l'occasion. Lucie ne se présenta pas à son rendez-vous. Avait-elle appelé pour décommander ? Donné une raison à cette annulation ? s'enquit le Dr Hels auprès de son secrétariat. Avait-elle au moins reporté le rendez-vous ? Ou encore, pris la peine de donner des précisions sur son état de santé ? Non. Rien. Elle ne s'était pas manifestée, n'avait pas donné le moindre signe de vie.

Une vive inquiétude saisit le médecin. Et s'il lui était arrivé quelque chose ? Si elle avait fait un nouveau choc allergique ? Si elle était... morte ?

Il eut un mal fou à aller au bout de sa journée et n'écouta que d'une oreille distraite les patients qui se présentèrent ce jour-là à sa consultation. Le soir, il ne rentra pas chez lui. Rivé à son bureau, il passa de longues heures à potasser ses livres de médecine, cherchant une réponse satisfaisante au mystère que posait selon lui "le cas Lucie". À son grand désespoir, il n'en trouva pas. C'était comme si tout à coup la médecine lui tournait le dos. Et voilà qu'en dépit de ses efforts, son esprit se remit à vagabonder, à divaguer, comme lorsque sa patiente était encore hospitalisée et qu'il demeurait immobile dans sa chambre, à l'observer. À ceci près qu'il y avait du nouveau depuis : à l'hôpital, les décès suspects avaient brusquement stoppé. Dès lors que Lucie était partie.

Se pourrait-il que ?... Ah ! Décidément ! Il en revenait toujours à cette manière d'intuition, ce mauvais pressentiment, cet intolérable délire imaginatif !

Le Dr Hels allait se résoudre à rentrer chez lui, lorsqu'il avisa la pile de courrier qu'il avait négligé d'ouvrir. Une des lettres provenait du laboratoire de l'hôpital. Il s'agissait des résultats définitifs et complets des tests pratiqués sur Mlle Rawestern. La réponse qu'il cherchait était donc là. Enfin !

Il décacheta l'enveloppe d'une main fébrile, impatient de lire son contenu, lorsqu'un léger bruit perturba le silence de la pièce et lui fit redresser la tête.

Il crut tout d'abord souffrir d'une hallucination, conséquence de la fatigue et de l'heure tardive. Mais il ne put bien longtemps se mentir à lui-même et dut bientôt se rendre à l'évidence. Il ne rêvait pas. Les battements redoublés de son cœur le lui confirmaient, ainsi que la sueur qui perlait à son front, le tremblement qui l'agitait. Autant de signes – de symptômes de la peur. Une peur panique.

Lucie était là.

Debout devant son bureau. Belle. Atrocement belle. Infiniment plus que lorsqu'elle se trouvait à l'hôpital.

Le Dr Hels voulut se lever, il en fut incapable. Il voulut ouvrir la bouche, aucun son ne franchit ses lèvres. Force lui fut d'admettre qu'il était immobilisé, paralysé, pétrifié. Ses membres ne lui obéissaient plus. Aucun moyen de lutter contre l'enchantement dont il était victime et qui avait tissé autour de lui une gigantesque toile d'araignée aux fils invisibles.

Lucie s'avança vers lui.

Avant de rendre son dernier soupir, le Dr Hels, malgré la douleur, malgré la terrible faiblesse qui l'envahissait au fur et à mesure qu'il se vidait de son sang, put tout de même prendre connaissance de la lettre en provenance de l'hôpital. Le médecin qu'il était – jusqu'au dernier moment – voulait savoir.

Retrouvant pour un temps la mobilité de ses bras qu'il avait vainement agités pour tenter de repousser les lèvres soudées à sa jugulaire telle une immonde ventouse, il avait lâché la feuille qui avait volé sur son bureau et avait atterri non loin de lui. Certes, sa vue devenait de plus en plus trouble, il ne put lire correctement les chiffres et les pourcentages qui en temps normal n'auraient eu aucun secret pour lui, mais quelques mots cependant – l'essentiel de la phrase de conclusion – accrochèrent son regard avant qu'il ne s'éteignît.

Lucie Rawestern avait fait une violente allergie à l'ail.

2009
© Hachette Livre

TABLE

« Pour l'éditeur, le principe est d'utiliser des papiers composés de fibres naturelles, renouvelables, recyclables et fabriquées à partir de bois issus de forêts
qui adoptent un système d'aménagement durable. En outre, l'éditeur attend de
ses fournisseurs de papier qu'ils s'inscrivent dans une démarche de certification
environnementale reconnue. »

Composition PCA - 44400 Rezé

Achevé d'imprimer en Espagne par BLACKPRINT CPI IBERICA
32.10.2786.5/10 - ISBN : 978-2-01-322786-5
Loi nº 49-956 du 16 juillet 1949 sur les publications destinées à la jeunesse
Dépôt légal : janvier 2013